C'est à toi!

Second Edition

TPR Storytelling Manual

Authors

Helga Schmitz

Melanie Polito

Contributing Writer

Sandra Nesmith

EMC/Paradigm Publishing, Saint Paul, Minnesota

Consultant
Sarah Vaillancourt

Layout and Design
C. Vern Johnson
Bradley J. Olsen

Illustrator
Hetty Mitchell

Acknowledgments

We would like to thank the Cherry Creek School District and our superintendent, Dr. Monte Moses, for their encouragement. We would also like to recognize the Overland High School administration and our principal, Mr. John Buckner, for their support. Finally, special thanks go to our students for their honest feedback.

Helga Schmitz and Melanie Polito

ISBN 0-8219-3265-9

Published by EMC/Paradigm Publishing
875 Montreal Way
St. Paul, Minnesota 55102
800-328-1452
www.emcp.com
E-mail: educate@emcp.com

Printed in the United States of America
2 3 4 5 6 7 8 9 10 XXX 12 11 10 09 08 07

Table of Contents

About the Authors

Helga Schmitz

Helga is a native of Germany and has lived in the United States since 1976. She has taught all levels of German from elementary school through college. For the past 30 years, Helga has been the Foreign Language Coordinator and a German teacher at Overland High School in the Cherry Creek School District in Aurora, Colorado. Helga is a consultant for EMC/Paradigm Publishing and translates teaching materials for Blaine Ray. As a result of attending Blaine Ray's workshops, Helga changed her philosophy on teaching foreign languages. Since then she has made TPRS the focal point in her classroom instruction.

Melanie Polito

A native of Chicago, Illinois, Melanie attended the University of Colorado at Boulder where she received a double major in Germanic Studies and Spanish along with her secondary teaching certificate. Melanie became acquainted with TPRS at Blaine Ray's workshops. She then applied the method in her classroom, where she immediately saw the benefits in her students' improved language performance.

Helga Schmitz and Melanie Polito have developed curriculum and provided in-service training for teachers on the TPRS approach.

About the Contributing Writer

Sandra Nesmith

Sandra, a native of France, graduated from the Université de Mont-Saint-Aignan, Rouen, France, and earned the CAPES, the French national certificate for secondary teaching. She has taught French and German at the elementary and secondary levels. With encouragement from her colleagues, she developed an interest in TPRS after attending Blaine Ray's workshops and started using it in her own classes.

Introduction

Background of TPR Storytelling

Dr. James Ascher's Total Physical Response approach (TPR) teaches language through commands. In 1990 Blaine Ray took TPR one step further and added a storytelling component, creating Total Physical Response Storytelling (TPRS). This method is based on Dr. Stephen Krashen's research on second language acquisition strategies. With the addition of storytelling, Ray found that students could learn a wider range of vocabulary and grammar. In TPRS teachers begin by preteaching new vocabulary through gestures, then using this vocabulary in mini-situations and finally incorporating it into telling and acting out a story.

This TPRS manual presents French vocabulary and grammar based on the corresponding units of *C'est à toi! Level One*. Teachers may choose between two ways of beginning to teach with TPRS.

1. Teachers may prefer to begin with classical TPR and then continue with TPRS. For suggestions on starting with classical TPR, refer to the list of classical TPR vocabulary and the classical TPR sample lesson on pages 97-101 at the end of this manual. (A list of resources appears on page 116 for further information on the classical TPR approach.)
2. Teachers may choose to begin immediately with *Unité 1* of this manual.

Pedagogical Considerations

The TPRS approach to foreign language learning constitutes a change in how students develop language proficiency. TPRS is a highly interactive style of teaching that focuses on the language skills of listening and speaking while also addressing writing, reading and cultural understanding. Students' diverse learning styles and the multiple intelligences are honored as well. In the TPRS approach to achieving language proficiency there are three main components: low affective filter, comprehensible input and acquisition.

Low Affective Filter

An important component of the TPRS teaching process is a classroom environment with a low affective filter. According to Stephen Krashen, the affective filter is a mental block caused by factors such as high anxiety, lack of confidence, low motivation and being on the defensive. Krashen contends that the affective filter is the lowest during childhood and rises dramatically at around puberty, a time considered a turning point in language acquisition.

In a classroom with a low affective filter, students are genuinely involved in a language-rich environment, to the point that they forget they are interacting with a foreign language. In using TPRS materials, students focus on learning the story line as opposed to the structure of the second language. Teachers should not force speech beyond students' acquisition level and should avoid making frequent corrections. These negative factors raise the affective filter and prevent input from reaching the language acquisition device. In a classroom environment with a low affective filter, students are highly motivated, have a high level of self-esteem and a low level of concern.

Comprehensible Input

The main component of the development of second language skills is comprehensible input. Comprehensible input involves messages that language learners are able to understand. Krashen says that real language production takes place only after students have built up competence via input. A language-rich environment that offers extensive comprehensible input provides a foundation for natural language acquisition.

The step-by-step process of teaching with TPRS that is explained in this manual provides comprehensible input in a variety of ways:

1. Teachers present new vocabulary words and expressions by associating them with gestures (TPR).
2. Teachers act out the mini-situations as they narrate them.
3. Teachers point to the illustrations in the manual while telling the basic story.

Acquisition vs. Learning

This TPRS manual focuses on students' acquisition of language. Language acquisition (as opposed to language learning) is the end product when teachers establish a classroom environment based on a low affective filter and then provide authentic, language-rich comprehensible input. A child learns his or her native language in a similar manner. The child receives consistent encouragement from his or her environment because it offers a low affective filter. The child is also surrounded by plenty of comprehensible input. These factors result in the child's language acquisition.

Acquisition is an effortless, involuntary process which results in long-term memory. Acquisition takes place when students focus on the message (idea) and not on the form of the message (grammar). It is a holistic process that involves the right hemisphere of the brain. When students can produce language without having to consider a rule but just by knowing that it sounds right, that's when language acquisition has taken place.

On the other hand, language learning is an analytical process that occurs in the left hemisphere of the brain. Learning leads to short-term language retention. In a language learning environment students often concentrate on repeating, memorizing and studying grammar rules and verb conjugations. The focus is on how the message is expressed rather than on the message itself. Language learning requires premature accuracy that results in a high affective filter, low self-esteem and therefore minimal language production.

Frequently-asked Questions about TPRS

Can I teach with TPRS if my colleagues are not using it or if my administration is not supportive?

Yes. Most likely you will need to follow your district's curriculum. You will probably need to give specified standardized tests. Demonstrate to your principal that you will be meeting your curricular goals by teaching with TPRS. Also set up a small pilot program in which you compare a TPRS class and a control group (traditional class). Document your students' progress throughout the year and share the results with other teachers and the administration. Finally, always keep the lines of communication open between yourself and the administration.

How will my students perform on standardized tests?

According to Blaine Ray, students in TPRS classes who take national standardized tests consistently score better than the national average. In addition, the number of students of all ability levels who continue with the same foreign language continues to rise.

Do I have to start teaching with TPRS at the beginning of the school year?

No. You may begin the process at any time. First try out one unit, then assess students' progress and finally ask students for their feedback.

How is grammar taught in the TPRS classroom?

When students make a grammatical error in speaking, teachers may choose to say the sentence again correctly. However, students should be corrected minimally so as not to interfere with communication. As was previously mentioned, one of the goals in the TPRS classroom is to lower the affective filter. The more teachers emphasize correctness, the more hesitant students will be to speak. Since teachers speak with grammatical accuracy, students will get used to hearing correct language and will imitate it. Oral grammatical accuracy will occur with increased use of the language and with extensive comprehensible input.

Grammar can be incorporated into written work by having students rewrite the basic story from a different perspective. For example, they can change the story's focus from the third person singular to the first person. According to Krashen, conscious application of grammar in writing is permissible since it does not inhibit communication. When grammar-related questions spontaneously arise in class, take several minutes to explain the concept briefly.

How does TPRS impact the pace of the curriculum?

Expect the pace to be somewhat slower than in a traditional class, since acquiring language through telling stories takes more time than learning the rules of the language. However, the pace picks up as students and teachers become more familiar with the process. As students' vocabularies increase and they experience long-term retention, less time is necessary to review previously taught material. Therefore, in the final analysis, teaching using TPRS saves time.

What can students in the TPRS classroom do when there is a substitute teacher?

Remember that students are already familiar with the TPRS process. If the classroom teacher has already introduced the new vocabulary in the unit, students may draw pictures to accompany the new words. If the teacher has finished presenting the basic story, students may invent a new ending or add on to the story. Students could also work together in teams to compose their own story using previously learned vocabulary.

Is TPRS only for energetic teachers?

In beginning to teach with TPRS, it is true that teachers expend more energy than usual to offer students enough comprehensible input to be successful learners. Teachers strive to create a positive attitude toward learning a foreign language and to build students' confidence as they use it. Seeing students' enthusiasm about coming to class and learning the language through stories tends to energize teachers. The key is to achieve a successful balance between time when teachers demonstrate the language and time when students practice it. As teachers become more experienced with TPRS, they build in activities, such as partner work, to alleviate some of the physical demands of the job. For example, students can illustrate vocabulary and basic stories. They can also work in groups to practice, present and invent stories.

In TPRS classes, there are not a lot of written homework assignments or tests, so teachers have less paperwork. Since TPRS language teaching takes place predominantly in the classroom, teachers have more available planning time.

How can we integrate students who transfer from a traditional class into a TPRS classroom?

Students from traditional classes enter the TPRS classroom expecting that their language production will be excessively monitored. These students need an explanation of the differences between a traditional and a TPRS class. Teachers need to ease new students into the TPRS process by allowing them to observe the new approach and by giving them a sufficient silent period in order to raise their comfort level. Hopefully, the affective filter will gradually decrease and these students will gain confidence in their language ability.

Unit Organization

Each unit in this manual has the same format and design for easy identification and reference. There are two stories in each unit, a Basic Story and an Advanced Story. The Basic Story focuses on new vocabulary that is introduced in the corresponding unit of *C'est à toi! Level One* and includes easily recognizable cognates. The Advanced Story contains more new vocabulary from the unit, cognates and additional vocabulary that has not yet been presented in the corresponding textbook unit. These additional words are listed in the Additional Vocabulary. Teachers can present the Basic Story, the Advanced Story or both, depending on their familiarity with TPRS, their students' enthusiasm and time considerations. The following sections are included in each unit:

Basic Story

Step 1 (Gesturing New Vocabulary) outlines a 12-step approach to introducing and practicing the new words and expressions in the upcoming story. This new vocabulary is listed in the French column, the English equivalent is given in the English column and a possible gesture for each word or expression is offered in the Gesture column. Note that the indicated gestures serve only as suggestions. Teachers may want to use their own ideas and imagination in presenting these words and expressions to their students. The vocabulary is listed in the same sequence in which it appears in bold type in the Basic Story. Teachers learn how to gesture each new word as well as how to present, practice, check comprehension (using sample questions), review and quiz this new vocabulary. For teachers' convenience, this French vocabulary list is reproduced in larger type in the Appendix. Teachers can use these sheets as blackline masters to make overhead transparencies or individual student copies.

Step 2 (Presenting the Situations) lists suggestions on how to teach the new vocabulary words in the context of a short narrative (Situation) that often includes conversational exchanges. There are three or more Situations that precede each Basic Story.

Step 3 (Teaching the Basic Story). At the bottom of the second page is the Basic Story, the "heart" of the unit and the suggested text, that accompanies the illustrations on the third page. Having learned the basic vocabulary and applied it in context in the Situations, students are now ready to use what they have learned to retell the Basic Story using visual cues and guide words. The fourth page offers 13 suggestions on how to teach the Basic Story, some of which include Yes/No Questions, Comprehension Questions and a Changed Story for students to correct. Several ideas for assessment focus on evaluating orally how much language students have acquired.

Advanced Story

The Advanced Story follows the same format and design as the Basic Story. Teachers may choose to use this story to reinforce the vocabulary presented earlier or to challenge students beyond the Basic Story. The Advanced Story contains more new vocabulary, cognates and additional words that have not yet been presented in the corresponding textbook unit. These new words are listed in the Additional Vocabulary in order of their presentation, as are any new words that appear in the Situations. Teachers may want to use their own ideas in gesturing this additional vocabulary.

Appendix

Following the last unit is an Appendix with the following sections:

High-frequency TPR Vocabulary — a list of the informal command forms of common French verbs, their English equivalents and a suggested gesture for each one. Teaching vocabulary by means of TPR improves listening comprehension, aids long-term memory and uses body movement extensively before and after speaking. These command forms can be used throughout the TPRS process to make the learning experience highly interactive and enjoyable. Also included are lists of common adverbs, adjectives, body parts, colors and classroom objects.

Sample TPR Lesson — a step-by-step model to show how the words in the High-frequency TPR Vocabulary can be taught to students. It consists of a short vocabulary list of selected words and expressions from the High-frequency TPR Vocabulary, nine steps to follow in teaching them, a narrative in which these words are used in context and several extension activities. Teachers may want to use this sample lesson before they start teaching the Basic and Advanced Stories in this manual. Another option is to use this lesson as the first in a series of lessons to teach all or part of the High-frequency TPR Vocabulary.

Basic and Advanced Story Vocabulary — a list of the new French words and expressions that have been introduced in the Basic and Advanced Stories of each unit. Each list appears here in larger type so that teachers can use these sheets as blackline masters to make overhead transparencies or individual student copies.

Assessment Rubric — a tool to use in evaluating how much language has been acquired and to what degree.

Bibliography — a list of suggested references that deal with both TPR and TPRS.

Step-by-step Approach to Teaching with TPRS

The Basic and Advanced Stories are taught using the three-step approach:

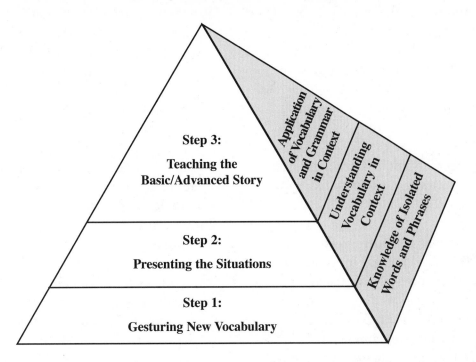

In the following section each of the three steps is described in detail. Throughout this manual, the steps and accompanying procedures are shown in abbreviated form in the left-hand column to constantly remind teachers of the process. Follow these steps as outlined in order to ensure students' success.

Step 1: Gesturing New Vocabulary

Purpose: To introduce the new vocabulary.

The vocabulary lists for the Basic and Advanced Stories come from the vocabulary found in the corresponding unit of *C'est à toi! Level One*. Presenting new words and expressions by using gestures allows for a silent period in which students are not required to speak before they are ready. The process also involves them kinesthetically as well as visually and promotes long-term retention. This step is the foundation of vocabulary acquisition.

1. Show the vocabulary list on the right, covering up the English and Gesture columns. You may choose to make an overhead transparency of

it, using the larger-print blackline master in the Appendix. Note that words and expressions are listed in the order in which they appear in the Basic/Advanced Story. Verbs are listed in the conjugated form that appears in the story. Once a verb is listed in the vocabulary section, other forms of it may be used in stories and situations.

2. Introduce the first three words/expressions.

3. Say the words one at a time and do the gestures. Students associate the gestures with the vocabulary. When gesturing the verbs, be sure to teach the verb's subject as well. For example, if the subject is "I," students point to themselves and then gesture the verb.

4. Have students imitate the gestures silently. Make sure that all students perform the gestures. Do not allow students to ask for or give the English equivalents of the new words at this point.

5. Say the words and have students gesture with their eyes closed.

6. Test individual students randomly. Say a word and have students do the gesture. (If a word is not understood by several students, it must be included when teaching the following set of words.)

7. Do gestures and have students say the words.

8. Say the words and have students give the English equivalents.

9. Repeat this process (Steps 1-8) for the next set of three words until the vocabulary list is all presented.

10. Ask questions and have students answer. Sample questions are included for each story, and teachers are encouraged to expand on them. Teachers can also give students novel commands for additional practice and to add interest to the class. Novel commands use the targeted vocabulary in a sentence with a novel meaning. For example, if the verb "walk" is being taught, say "Walk on your hands!", "Walk in a circle!" or "Walk hand in hand with (*name of student*)!"

11. The following day review the vocabulary list using the above steps with increased speed.

12. You may also want to check students' comprehension by creating matching quizzes and fill-in-the-blank exercises. These quizzes may be unannounced in order to assess how well students have acquired the new vocabulary.

Note: Some ways to invent gestures include referencing American Sign Language books, making them up or soliciting student input.

Step 2: Presenting the Situations

Purpose: To apply the new vocabulary words in a believable context.

There are three or more situations for each Basic/Advanced Story. In these situations, all words and expressions in the preceding vocabulary list are used at least once in context.

1. Display the vocabulary list on the preceding page in class. Students use the list as a reference. You may want to make a copy of the blackline master in the Appendix.

2. Pick student actors for the first situation.

3. Tell the first situation in an animated way. At the same time help student actors perform the situation. To give students a visual clue to help them remember the situation, place people and objects consistently in specific places in the classroom.

4. Divide the class into small groups. Repeat the situation as each group performs it simultaneously. An option is for teachers to tell the situation and students to draw it.

5. Repeat Steps 2-4 for the remaining situations.

Step 3: Teaching the Basic/Advanced Story

Purpose: To use the vocabulary to tell a story.

Initially, the objective is for students to understand what happens in the story. The end goal, after following the first ten steps listed below, is for students to produce the story actively. The words in the vocabulary list appear sequentially in bold type in the story. The Basic Story focuses on words and expressions that are introduced in the corresponding unit of *C'est à toi! Level One* along with easily recognizable cognates. The Advanced Story includes additional vocabulary from the unit, cognates and other related vocabulary that has not yet been presented in the corresponding textbook unit. Teachers may want to use their own ideas in gesturing the additional vocabulary in the Advanced Story and Situations. Grammar items that students have not yet encountered in the corresponding textbook units may appear in the stories. For example, students may learn in context direct and indirect object pronouns, reflexive verbs, the subjunctive, etc.

Three basic elements in most TPRS stories motivate students and make their learning experience more fun:

Bizarre situations — TPRS stories are not "normal." For example, in these stories students don't go home, but they might go instead to the moon, Death Valley or Timbuktu.

Exaggeration — Stories use adjectives like "best," "prettiest" and "little" as well as unrealistically large numbers, quantities and sizes.

Personalization — Teachers should use their students' names wherever names occur in situations and stories. Also substitute the names of places and events in your city/town if possible. Stories are more interesting to students if they touch on activities that they commonly do. Personalized, reality-based narratives are also easier for students to remember.

1. Display the vocabulary list (on the first page of the story) in class. Students use the list as a reference. You may want to make a copy of the blackline master in the Appendix.

2. Show illustrations (on the third page of the story), then tell the story. Have students follow along.

3. Pick student actors for the story.

4. Tell the story in an animated way. At the same time help student actors perform the story. To give students a visual clue to help them remember the story, place people and objects consistently in specific places in the classroom.

5. Ask Yes/No Questions. Sample questions are included for each story, and teachers are encouraged to expand on them.

6. Ask Comprehension Questions about the story. Sample questions are included for each story, and teachers are encouraged to expand on them.

7. Read the Changed Story and have students correct it. Sample substitutions are included for each story, and teachers are encouraged to expand on them.

8. Collaborate with students in establishing a list of guide words and then display the list. Note: Guide words are a brief list of difficult words or phrases that occur in the story. They do not include words from the story's vocabulary list. Guide words have been previously taught, but now they are used in a different context and students may no longer remember them. The purpose of guide words is to prevent students from regressing to more basic vocabulary and grammar. For example, even though the past tense is used in a certain unit, students may regress to the use of the present tense unless a guide word can offer a meaningful clue.

9. Have students practice with partners using only the story's illustrations (on the third page of the story) and the guide words (if needed). The pictures help students remember the story without memorizing it.

10. Have volunteers tell the story to the class. Students may use illustrations and guide words, if necessary.

11. Assessment: Have students record the story on audiocassettes. Students may use only the illustrations. Guide words may be used by students who need more direction. Evaluate the cassettes and include them in students' portfolios. Teachers may want to use the Assessment Rubric in the Appendix to evaluate how much language students have acquired and to what degree.

12. Collaborate with students in writing the story based on the illustrations. Write the story as students copy it.

13. Have partners invent a new story or alter the original story. Have them draw new or altered illustrations and then tell the story to the class.

Step 1	**Gesturing New Vocabulary**

Purpose: To introduce the new vocabulary.

1. Show the vocabulary list on the right, covering up the English and Gesture columns.

2. Introduce the first three words/ expressions.

3. Say the words one at a time and do the gestures.

4. Have students imitate the gestures silently.

5. Say the words and have students gesture with their eyes closed.

6. Test individual students randomly. Say a word and have students do the gesture. (If a word is not understood by several students, it must be included when teaching the following set of words.)

7. Do gestures and have students say the words.

8. Say the words and have students give the English equivalents.

9. Repeat this process (Steps 1-8) for the next set of three words until all of the vocabulary list is presented.

10. Ask questions and have students answer.

   Sample Questions:
   (Name of student) *arrive?*
   Tu t'appelles comment?
   Tu danses comment?
   Bonjour. Ça va?
   Pardon, c'est (name of student)?

11. The following day review the vocabulary list using the above steps with increased speed.

12. You may also want to check students' comprehension by creating matching quizzes and fill-in-the-blank exercises.

Note: Some ways to invent gestures include referencing American Sign Language books, making them up or soliciting student input.

French	English	Gesture
(il) arrive	(he) arrives	Hold left hand and move right hand.
Tiens!	Hey!	Act surprised.
Salut!	Hi!	Wave with left hand.
Ça va?	How are things going?	Shrug shoulders and move thumb up and down.
Ça va bien.	Things are going well.	Thumbs up.
merci	thanks	Bow with right hand on chest.
eh	hey	Act surprised.
(tu t') appelles	(your) name is	Point to imaginary name tag.
comment	how, what	Shrug shoulders with palms up.
ah	oh	Act surprised.
pardon	sorry, excuse me	Both hands on chest.
(te) présente	introduce	With right hand, point to a person.
c'est	this is, it's	With left hand, point to a person.
bonjour	hello	Wave with right hand.
Mademoiselle (Mlle)	Miss	Point to left ring finger with right index finger. Shake right index finger.

Purpose: To apply the new vocabulary words in a believable context.

1. Display the vocabulary list (page 1) in class. Students use the list as a reference.

2. Pick student actors for the first situation.

3. Tell the first situation in an animated way. At the same time help student actors perform the situation.

4. Divide the class into small groups. Repeat the situation as each group performs it simultaneously.

5. Repeat Steps 2-4 for the remaining situations.

Note: The following words are used repeatedly in the Situations, Basic Stories and Advanced Stories before they are introduced in the textbook:

dit says

demande asks

répond(ent) answer(s)

Situations

1 Anne et François **arrivent** à (*name of local baseball/football stadium*). Anne dit: "**Eh, c'est** (*name of famous player*)." L'athlète célèbre demande: "**Ça va?**" Anne et François répondent: "**Ça va bien!**"

2 Cécile et Olivier arrivent à (*name of local high school*). Cécile dit: "**Salut**, Élodie. **Tiens,** je **te présente** Olivier." Élodie répond: "**Ah, bonjour.**" Olivier dit: "**Mademoiselle.**"

3 Une star signe des autographes. La star demande: "**Tu t'appelles** comment?" La fan répond: "Je m'appelle Solène." La star demande: "**Pardon?**" La fan dit: "Solène.... **Merci.**" Solène admire l'autographe ("Pour Solène Merci") et dit: "Ah, ah, ah!"*

*To bring the conclusion of this situation to life, ask the student playing the role of the star to write the message "Pour Solène Merci" on the board or have students guess how the star signed his/her autograph. In TPRS, it's important for the teacher to direct and guide students on how they should act.

Basic Story

Tu t'appelles comment, Mademoiselle?

Julien **arrive.** Julien dit: "**Tiens, salut,** Amélie! **Ça va?**" Amélie répond: "**Ça va bien, merci.**" Julien demande: "**Eh, tu t'appelles comment?**" Amélie dit: "**Ah, pardon,** Julien. Je **te présente** Sarah... Sarah Hermier. Sarah, **c'est** Julien Buchy." Julien dit: "**Bonjour, Mlle** Hermier!"

Purpose: To use the vocabulary to tell a story.

1. Display the vocabulary list (page 1) in class. Students use the list as a reference.

2. Show illustrations (page 3), then tell the story. Have students follow along.

3. Pick student actors for the story.

4. Tell the story in an animated way. At the same time help student actors perform the story.

5. Ask **Yes/No Questions**.

   Est-ce que Julien arrive? (oui)
   Amélie va bien? (oui)
   Julien s'appelle Julien Hermier? (non)
   Amélie présente Sarah? (oui)
   Amélie présente Julien? (oui)

6. Ask **Comprehension Questions** about the story.

Julien arrive chez Amélie ou Sarah?*	Julien arrive chez Amélie.
Amélie va comment?	Amélie va bien.
Comment s'appelle Sarah?	Sarah s'appelle Sarah Hermier.
Comment s'appelle Julien?	Julien s'appelle Julien Buchy.
Qui dit "pardon"?	Amélie dit "pardon".

   *Hold out first your right and then your left hand to indicate the two choices.

7. Read the **Changed Story** and have students correct it.

   (1) <u>Sarah</u> arrive. Julien dit: "Tiens, salut, Amélie! (2) <u>Tu t'appelles comment</u>?" Amélie répond: "Ça va bien, merci." Julien demande: "Eh, (3) <u>ça va</u>?" Amélie dit: "Ah, (4) <u>merci</u>, Julien. Je te présente Sarah... Sarah Hermier. Sarah, c'est Julien Buchy." Julien dit: "(5) <u>Salut</u>, Mlle Hermier!"

   Answer Key:
   (1) Julien (2) Ça va (3) tu t'appelles comment (4) pardon (5) Bonjour

8. Collaborate with students in establishing a list of guide words. **Note:** Guide words are a brief list of difficult words or phrases that occur in the story. Display the guide words.

9. Have students practice with partners using only the story's illustrations (page 3) and the guide words (if needed).

10. Have volunteers tell the story to the class. Students may use illustrations and guide words, if necessary.

11. Assessment: Have students record the story on audiocassettes or any electronic media. Students may use **only** the illustrations. Guide words may be used by students who need more direction. Evaluate the recordings and include them in students' portfolios.

12. Collaborate with students in writing the story based on the illustrations. Write the story as students copy it.

13. Have partners invent a new story or alter the original story. Have them draw new or altered illustrations and then tell the story to the class.

Advanced Story

Step 1 | Gesturing New Vocabulary

Purpose: To introduce the new vocabulary.

1. Show the vocabulary list on the right, covering up the English and Gesture columns.

2. Introduce the first three words/ expressions.

3. Say the words one at a time and do the gestures.

4. Have students imitate the gestures silently.

5. Say the words and have students gesture with their eyes closed.

6. Test individual students randomly. Say a word and have students do the gesture. (If a word is not understood by several students, it must be included when teaching the following set of words.)

7. Do gestures and have students say the words.

8. Say the words and have students give the English equivalents.

9. Repeat this process (Steps 1-8) for the next set of three words until all of the vocabulary list is presented.

10. Ask questions and have students answer.

   Sample Questions:
   Tu t'appelles comment?
   (Point to a boy.) *Il s'appelle comment?*
   (Point to a girl.) *Elle s'appelle comment?*
   C'est (name of student or object)*?*
   (Name of student) *écoute le professeur?*
   Tu adores la pizza?

11. The following day review the vocabulary list using the above steps with increased speed.

12. You may also want to check students' comprehension by creating matching quizzes and fill-in-the-blank exercises.

Note: Some ways to invent gestures include referencing American Sign Language books, making them up or soliciting student input.

French	English	Gesture
deux	two	Show two fingers.
oui	yes	Nod once.
pas	not	Shake right index finger.
(il/elle s') appelle	(his/her) name is	Point to name tag of boy/girl.
écoute	listen	Cup hand behind ear.
Madame (Mme)	Mrs.	Point to a picture of a woman.
Monsieur (M.)	Mr.	Point to a picture of a man.
d'accord	OK	Nod twice.
À bientôt.	See you soon.	Wave as if leaving.

Additional Vocabulary

chez, une, regardent, micro-onde, on, mange, nouvelle, voilà, garçon, à, élève, dans, cherche, fille, est, belle, chaise, français(e), (tu) épelles, anglais, te, vite

Situations

1 Hugo arrive chez (*name of famous pizza restaurant*). Hugo dit: "**Deux** pizzas!" L'employé demande: "Deux pizzas comment?" Hugo répond: "Une pizza avec des tomates et une pizza avec du broccoli." L'employé demande: "Ah... deux pizzas végétariennes, **Monsieur?**" Hugo répond: "**Oui.**" L'employé dit: "Ah!"

2 Antoine et Bertrand regardent un DVD amusant de (*name of comedy actor*). Dring... dring... dring.... Antoine dit: "**Écoute,** c'est le téléphone!" Bertrand dit: "C'est **pas** le téléphone, c'est le micro-onde! On mange du popcorn?" Antoine répond: "**D'accord!**"

3 Caroline, la nouvelle baby-sitter, arrive chez M. et **Mme** Malice. Toc... toc... toc.... Caroline dit: "Bonjour, Mme Malice. Je me présente.... Caroline Dubois." Mme Malice dit: "Bonjour, Caroline. Voilà le bébé. **Il s'appelle** Denis. **À bientôt!**"

Advanced Story

Une Américaine en France

Deux garçons, Nicolas et Thomas, mangent à la cafétéria. Stacy, une élève américaine de *(name of city),* arrive dans la cafétéria. Elle cherche une table. Nicolas dit à Thomas: "Regarde la fille! Elle est belle!" Thomas dit: "Ah, **oui!**"

Nicolas dit à Stacy: "Voilà une chaise." Stacy dit: "Merci." Nicolas dit: "Je me présente. Je m'appelle Nicolas. Tu t'appelles comment?" Stacy répond: "Je m'appelle Stacy." Nicolas remarque: "'Stacy', c'est **pas** français. C'est américain?"

Stacy répond: "Oui." Nicolas demande: "Tu épelles 'Stacy' comment?" Stacy répond: "S...t...a...c...y. Tu t'appelles comment?" Nicolas répond: "**Il s'appelle** Thomas." Thomas dit à Stacy: "Bonjour, Stacy. Ça va bien?" Stacy répond: "Oui, merci." Thomas dit: "**Écoute,** je...."

Mme Liégeois, la prof d'anglais, arrive. Mme Liégeois dit à Stacy: "Stacy, **M.** Johnson te cherche! Vite!" Stacy dit: "**D'accord,** j'arrive. **À bientôt!**"

Purpose: To use the vocabulary to tell a story.

1. Display the vocabulary list (page 5) in class. Students use the list as a reference.

2. Show illustrations (page 7), then tell the story. Have students follow along.

3. Pick student actors for the story.

4. Tell the story in an animated way. At the same time help student actors perform the story.

5. Ask **Yes/No Questions.**

   Nicolas et Thomas regardent Stacy? (oui)
   Nicolas, Thomas et Stacy mangent au fast-food? (non)
   Stacy cherche la prof? (non)
   Mme Liégeois est la prof de français? (non)
   M. Johnson cherche Nicolas? (non)

6. Ask **Comprehension Questions** about the story.

Stacy est une fille ou un garçon?*	Stacy est une fille.
Stacy est américaine ou française?	Stacy est américaine.
Stacy est une élève ou une prof?	Stacy est une élève.
M. Johnson est un élève ou un prof?	M. Johnson est un prof.
Mme Liégeois est prof de français ou d'anglais?	Mme Liégeois est prof d'anglais.

   *Hold out first your right and then your left hand to indicate the two choices.

7. Read the **Changed Story** and have students correct it.

   Deux garçons, Nicolas et Thomas, mangent à la cafétéria. Stacy, une élève (1) <u>française</u> de *(name of city)*, arrive dans la cafétéria. Elle cherche une table. Nicolas dit à Thomas: "Regarde la fille! Elle est belle!" Thomas dit: "Ah, oui!"

   Nicolas dit à Stacy: "Voilà une (2) <u>table</u>." Stacy dit: "Merci." Nicolas dit: "Je me présente. Je m'appelle Nicolas. Tu t'appelles (3) <u>d'accord</u>?" Stacy répond: "Je m'appelle Stacy." Nicolas remarque: "'Stacy', c'est pas français. C'est (4) <u>italien</u>?"

   Stacy répond: "Oui." Nicolas demande: "Tu épelles 'Stacy' comment?" Stacy répond: "S...t...a...c...y. Tu t'appelles comment?" Nicolas répond: "Il s'appelle Thomas." Thomas dit à Stacy: "Bonjour, Stacy. Ça va bien?" Stacy répond: "Oui, (5) <u>pardon</u>." Thomas dit: "Écoute, je...."

   Mme Liégeois, la prof d'anglais, arrive. Mme Liégeois dit à Stacy: "Stacy, (6) <u>Mme</u> Johnson te cherche! Vite!" Stacy dit: "D'accord, j'arrive. À bientôt!"

   Answer Key:
   (1) américaine (2) chaise (3) comment (4) américain (5) merci (6) M.

8. Collaborate with students in establishing a list of guide words. **Note:** Guide words are a brief list of difficult words or phrases that occur in the story. Display the guide words.

9. Have students practice with partners using only the story's illustrations (page 7) and the guide words (if needed).

10. Have volunteers tell the story to the class. Students may use illustrations and guide words, if necessary.

11. Assessment: Have students record the story on audiocassettes or any electronic media. Students may use only the illustrations. Guide words may be used by students who need more direction. Evaluate the recordings and include them in students' portfolios.

12. Collaborate with students in writing the story based on the illustrations. Write the story as students copy it.

13. Have partners invent a new story or alter the original story. Have them draw new or altered illustrations and then tell the story to the class.

Step 1 | Gesturing New Vocabulary

Purpose: To introduce the new vocabulary.

1. Show the vocabulary list on the right, covering up the English and Gesture columns.

2. Introduce the first three words/ expressions.

3. Say the words one at a time and do the gestures.

4. Have students imitate the gestures silently.

5. Say the words and have students gesture with their eyes closed.

6. Test individual students randomly. Say a word and have students do the gesture. (If a word is not understood by several students, it must be included when teaching the following set of words.)

7. Do gestures and have students say the words.

8. Say the words and have students give the English equivalents.

9. Repeat this process (Steps 1-8) for the next set of three words until all of the vocabulary list is presented.

10. Ask questions and have students answer.

   Sample Questions:
   Tu aimes faire du sport?
   Tu fais du vélo?
   Qu'est-ce que tu préfères, nager ou faire du shopping?*
   Tu m'invites chez toi?**
   Tu aimes beaucoup le rock?

   *Hold out first your right and then your left hand to indicate the two choices.
   **Indicate *tu* and *toi* by pointing to someone; indicate *m'* by pointing to yourself.

11. The following day review the vocabulary list using the above steps with increased speed.

12. You may also want to check students' comprehension by creating matching quizzes and fill-in-the-blank exercises.

   Note: Some ways to invent gestures include referencing American Sign Language books, making them up or soliciting student input.

French	English	Gesture
(je t') invite	(I) invite (you)	Point to yourself and motion to come over.
chez moi	to/at my house	Point to yourself and a house in the air.
On y va?	Shall we go?	Circle in the air with left hand.
alors	(well) then	Put hand on chin.
qu'est-ce que	what	Shrug shoulders.
(tu) aimes	(you) like	Point to a person and then to your heart.
faire du sport	to play sports	Gesture 3 sports (tennis, soccer, basketball).
faire du shopping	to go shopping	Walk with imaginary shopping bags.
moi	me, I	Point to yourself with both index fingers.
aussi	also, too	Make a "T" with hands.
beaucoup	a lot	Make expansive gesture with hands.
nager	to swim	Make swimming gestures with arms.
faire du vélo	to go biking	Pretend to bike (with feet and/or hands).
(je) préfère	(I) prefer	Point to yourself and then to your heart.

Situations

1. Sylvie **fait du shopping** à (*name of expensive department store*). Une star fait **aussi** du shopping à (*name of expensive department store*). La star remarque: "Le shopping, c'est pas intéressant. **Je préfère le sport**." Sylvie dit: "Moi, j'adore le shopping!" La star dit à Sylvie: "Eh bien, **je t'invite** à faire du shopping avec **moi**." Sylvie répond: "Super!"

2. Dans l'océan Pacifique, deux dauphins **nagent.** Dauphin Flopper demande: "**Tu aimes** nager?" Dauphin Flipper répond: "Oui, **beaucoup!**" Dauphin Flopper demande: "**Alors, on y va?**"

3. Un journaliste célèbre interviewe un champion de vélo parisien. Le journaliste demande: "**Qu'est-ce que** vous aimez faire?" Le champion répond: "J'aime **faire du vélo.**" Le journaliste remarque: "Moi aussi!" Le champion dit: "Ah." Le journaliste dit: "Oui, je fais du vélo **chez moi.**" Le champion demande: "Comment?" Le journaliste répond: "Je fais du vélo d'appartement."*

*Un vélo d'appartement is a stationary bike.

Basic Story

Une invitation

Émilie dit à Juliette: "Eh, Juliette, **je t'invite chez moi. On y va?**" Juliette répond: "Oui, d'accord."

Chez Émilie. Émilie demande: "**Alors, qu'est-ce que tu aimes** faire?" Juliette répond: "J'aime **faire du sport** et **du shopping.** Et toi?" Émilie dit: "**Moi aussi,** j'aime le sport. J'aime **beaucoup nager** et **faire du vélo.**" Juliette remarque: "**Je préfère** faire du vélo." Émilie demande: "On fait du vélo?" Juliette répond: "Oui!"

Purpose: To use the vocabulary to tell a story.

1. Display the vocabulary list (page 9) in class. Students use the list as a reference.

2. Show illustrations (page 11), then tell the story. Have students follow along.

3. Pick student actors for the story.

4. Tell the story in an animated way. At the same time help student actors perform the story.

5. Ask **Yes/No Questions.**

   Émilie invite Juliette? (oui)
   Émilie va chez Juliette? (non)
   Juliette aime le sport? (oui)
   Émilie aime aussi faire du sport? (oui)
   Juliette préfère nager? (non)

6. Ask **Comprehension Questions** about the story.

Qui invite Juliette?	Émilie invite Juliette.
On va chez Juliette ou Émilie?*	On va chez Émilie.
Qu'est-ce que Juliette aime faire?	Juliette aime faire du sport et du shopping.
Qui aime beaucoup nager?	Émilie aime beaucoup nager.
Qui invite à faire du vélo?	Émilie invite à faire du vélo.

   *Hold out first your right and then your left hand to indicate the two choices.

7. Read the **Changed Story** and have students correct it.

   Émilie dit à Juliette: "Eh, Juliette, je t'invite chez (1) <u>Sylvie</u>. On y va?" Juliette répond: "Oui, d'accord."

   Chez Émilie. Émilie demande: "Alors, qu'est-ce que tu aimes faire?" Juliette répond: "J'aime faire du (2) <u>footing</u> et du shopping. Et toi?" Émilie dit: "Moi aussi, j'aime le (3) <u>shopping</u>. J'aime beaucoup nager et faire du (4) <u>roller</u>." Juliette remarque: "Je préfère faire du vélo." Émilie demande: "On (5) <u>joue au tennis</u>?" Juliette répond: "Oui!"

   Answer Key:
   (1) moi (2) sport (3) sport (4) vélo (5) fait du vélo

8. Collaborate with students in establishing a list of guide words. **Note:** Guide words are a brief list of difficult words or phrases that occur in the story. Display the guide words.

9. Have students practice with partners using only the story's illustrations (page 11) and the guide words (if needed).

10. Have volunteers tell the story to the class. Students may use illustrations and guide words, if necessary.

11. Assessment: Have students record the story on audiocassettes or any electronic media. Students may use **only** the illustrations. Guide words may be used by students who need more direction. Evaluate the recordings and include them in students' portfolios.

12. Collaborate with students in writing the story based on the illustrations. Write the story as students copy it.

13. Have partners invent a new story or alter the original story. Have them draw new or altered illustrations and then tell the story to the class.

Step 1 — Gesturing New Vocabulary

Purpose: To introduce the new vocabulary.

1. Show the vocabulary list on the right, covering up the English and Gesture columns.

2. Introduce the first three words/ expressions.

3. Say the words one at a time and do the gestures.

4. Have students imitate the gestures silently.

5. Say the words and have students gesture with their eyes closed.

6. Test individual students randomly. Say a word and have students do the gesture. (If a word is not understood by several students, it must be included when teaching the following set of words.)

7. Do gestures and have students say the words.

8. Say the words and have students give the English equivalents.

9. Repeat this process (Steps 1-8) for the next set of three words until all of the vocabulary list is presented.

10. Ask questions and have students answer.

   Sample Questions:
   Tu aimes écouter de la musique?
   La musique de (name of popular group) *est super?*
   Qui aime étudier?
   Tu étudies beaucoup pour l'interro?
   Qui joue aux jeux vidéo?
   Tu fais du sport demain?

11. The following day review the vocabulary list using the above steps with increased speed.

12. You may also want to check students' comprehension by creating matching quizzes and fill-in-the-blank exercises.

Note: Some ways to invent gestures include referencing American Sign Language books, making them up or soliciting student input.

French	English	Gesture
de la musique	music	Conduct imaginary orchestra.
super	super, great	Thumbs up.
(il) téléphone à	(he) phones (someone)	Point to boy and press numbers on imaginary telephone.
qui	who, whom	Point to several people and shrug shoulders.
pas possible	not possible	Shake left index finger.
ne (n')... pas	not	Shake right index finger.
(j') étudie	(I'm) studying	Point to yourself and read imaginary book.
l'interro	the quiz, test	Point to a quiz or test paper.
demain	tomorrow	Point to the next day on a calendar.
bon ben	well then	Put hand on chin.
aux jeux vidéo	video games	Pretend to play a video game.
À demain.	See you tomorrow.	Wave with left hand and point to the next day on a calendar.

Additional Vocabulary

parle, à, cherche, voilà, l'anniversaire, reçoit, élève, nouveau/nouvel, avec

Situations

1 Champion de football américain #1 parle à champion de football américain #2.* Champion #1 demande: "Eh, tu fais du roller **demain**?" Champion #2 répond: "Ce **n'**est **pas possible.** Je regarde le match de (*name of a professional football team*) à la télé." Champion #1 dit: "**Bon ben,** je **téléphone à** (*name of another football player*)."

*Use the names of popular players on a local professional football team.

2 Demain c'est **l'interro** de maths. Alors, Christophe **étudie.** Malika arrive et écoute **de la musique.** Oh là là! Christophe cherche le walkman et stoppe la musique. Et voilà!

3 C'est l'anniversaire d'Alexandre. Alexandre reçoit un **jeu vidéo.** Alexandre dit: "Merci! C'est de **qui?**" Vincent répond: "C'est de moi. Tu aimes?" Alexandre dit: "Oh oui! Il est **super!**"

Advanced Story

On joue aux jeux vidéo?

Victor, un élève à (*name of high school*), écoute **de la musique.** Il écoute un nouveau CD de (*name of popular musical group*). La musique est **super!** (*Name of popular musical group*) joue bien. Édouard, un nouvel élève à (*name of high school*), **téléphone à** Victor. Dring... dring... dring.... Victor dit: "Allô, c'est **qui?**" Édouard répond: "C'est Édouard. Salut, ça va?" Victor répond: "Oui, bien." Édouard dit: "Alors, je t'invite à faire du sport avec moi." Victor répond: "**Pas possible**. Je **n'**aime **pas** le sport. Et **j'étudie** pour **l'interro demain**." Édouard demande: "**Bon ben,** on joue **aux jeux vidéo** chez moi demain?" Victor répond: "D'accord. **À demain.**"

Purpose: To use the vocabulary to tell a story.

1. Display the vocabulary list (page 13) in class. Students use the list as a reference.

2. Show illustrations (page 15), then tell the story. Have students follow along.

3. Pick student actors for the story.

4. Tell the story in an animated way. At the same time help student actors perform the story.

5. Ask **Yes/No Questions.**

   > Victor est élève à (*name of different high school*)? (non)
   > Victor écoute de la musique? (oui)
   > Victor téléphone à Édouard? (non)
   > Édouard invite Victor à faire du sport? (oui)
   > Les garçons jouent aux jeux vidéo demain? (oui)

6. Ask **Comprehension Questions** about the story.

Qu'est-ce que Victor écoute?	Victor écoute de la musique.
Victor écoute (*name of different popular music group*)?	Non, Victor écoute (*name of correct popular music group*).
Qui est Édouard?	Édouard est un nouvel élève à (*name of high school*).
Qu'est-ce que Victor n'aime pas?	Victor n'aime pas le sport.
Victor étudie. Pourquoi?	Victor étudie pour l'interro demain.

7. Read the **Changed Story** and have students correct it.

   > Victor, un (1) <u>professeur</u> à (*name of high school*), écoute (2) <u>la radio</u>. Il écoute un nouveau CD de (*name of popular musical group*). La musique est super! (*Name of popular musical group*) joue bien. Édouard, un nouvel élève à (*name of high school*), téléphone à Victor. Dring... dring... dring.... Victor dit: "Allô, c'est qui?" Édouard répond: "C'est Édouard. (3) <u>À demain</u>, ça va?" Victor répond: "Oui, bien." Édouard dit: "Alors, je t'invite à faire du (4) <u>shopping</u> avec moi." Victor répond: "Pas possible. Je n'aime pas (5) <u>la musique</u>. Et j'étudie pour l'interro demain." Édouard demande: "Bon ben, on joue (6) <u>au volley</u> chez moi demain?" Victor répond: "(7) <u>Pas possible</u>. À demain."

   Answer Key:
   (1) élève (2) de la musique (3) Salut (4) sport (5) le sport (6) aux jeux vidéo (7) D'accord

8. Collaborate with students in establishing a list of guide words. **Note:** Guide words are a brief list of difficult words or phrases that occur in the story. Display the guide words.

9. Have students practice with partners using only the story's illustrations (page 15) and the guide words (if needed).

10. Have volunteers tell the story to the class. Students may use illustrations and guide words, if necessary.

11. Assessment: Have students record the story on audiocassettes or any electronic media. Students may use only the illustrations. Guide words may be used by students who need more direction. Evaluate the recordings and include them in students' portfolios.

12. Collaborate with students in writing the story based on the illustrations. Write the story as students copy it.

13. Have partners invent a new story or alter the original story. Have them draw new or altered illustrations and then tell the story to the class.

Step 1 | Gesturing New Vocabulary

Purpose: To introduce the new vocabulary.

1. Show the vocabulary list on the right, covering up the English and Gesture columns.

2. Introduce the first three words/ expressions.

3. Say the words one at a time and do the gestures.

4. Have students imitate the gestures silently.

5. Say the words and have students gesture with their eyes closed.

6. Test individual students randomly. Say a word and have students do the gesture. (If a word is not understood by several students, it must be included when teaching the following set of words.)

7. Do gestures and have students say the words.

8. Say the words and have students give the English equivalents.

9. Repeat this process (Steps 1-8) for the next set of three words until all of the vocabulary list is presented.

10. Ask questions and have students answer.

   Sample Questions:
   Quelle heure est-il?
   Tu as faim?
   Tu as soif?
   Ça fait combien, un coca chez Macdo?
   *Qui est serveur chez (*name of local fast-food restaurant)*?*

11. The following day review the vocabulary list using the above steps with increased speed.

12. You may also want to check students' comprehension by creating matching quizzes and fill-in-the-blank exercises.

Note: Some ways to invent gestures include referencing American Sign Language books, making them up or soliciting student input.

French	English	Gesture
minuit	midnight	Show "12" with fingers, point to watch and yawn.
(J'ai) faim.	(I'm) hungry.	Point to stomach and make circular motion.
(je) voudrais	(I) would like	Point to yourself and make begging hands.
un hamburger	hamburger	Make biting motion into a circle shaped by hands.
(J'ai) soif.	(I'm) thirsty.	Point to yourself and lick lips.
allons-y	let's go	Make circular motion over head with both hands.
le serveur	the server	Pretend to be a male server carrying food on a tray.
Vous désirez?	What would you like?	Shrug shoulders as you point to menu.
des frites	French fries	Point to a picture of fries.
s'il vous plaît	please	Bow as you make begging hands.
une boisson	drink, beverage	Point to a picture of a beverage.
un coca	Coke	Point to a picture of a Coke.
Ça fait....	That's....	Pretend you are writing on your palm.
combien	how much	Count on fingers as you shrug shoulders.

Situations

1 Samuel est dans un café aux Champs-Élysées à Paris. **Le serveur** demande: "**Vous désirez,** Monsieur?" Samuel répond: "**J'ai soif. Je voudrais une boisson... un coca. Ça fait combien, un coca?**" Le serveur répond: "Un coca, ça fait 4 euros." Samuel dit: "D'accord. Un coca, **s'il vous plaît!**"

2 Il est **minuit** chez David Copperfield, le magicien. M. Copperfield **a faim,** alors Abracadabra.... Voilà cinquante **hamburgers** et **des frites!**

3 C'est la planète Mars. Robot #1 parle à Robot #2. Robot #1 dit: "Eh, bonjour! Je t'invite au Café Humain." Robot #2 répond: "D'accord. **Allons-y!**"

On est au Café Humain. Le serveur demande: "Vous désirez?" Robot #1 répond: "Je voudrais un café." Robot #2 dit: "Et moi, je voudrais un café crème."

Le serveur arrive avec les deux boissons. Le serveur dit: "Voilà!" Robots #1 et #2 remarquent: "Oh là là! On fait comment???"*

*We're assuming that robots normally consume oil from straw-like devices. Hot beverages at the Café Humain, however, are served in cups.

Basic Story

Un hamburger extraordinaire

C'est le 31 octobre. Il est **minuit.** Ariane et Fatima écoutent de la musique. La musique est super. Ariane dit à Fatima: "Eh, **j'ai faim. Je voudrais un hamburger.** Pas toi?" Fatima répond: "Non, mais **j'ai soif.**" Ariane a faim! Ariane demande: "On va chez (*name of local fast-food restaurant*)?" Fatima répond: "Mais il est minuit. Oh, bon d'accord, **allons-y!**"

Ariane et Fatima arrivent à (*name of local fast-food restaurant*). **Le serveur** arrive et demande: "**Vous désirez?**" Ariane répond: "Un hamburger et **des frites, s'il vous plaît.**" Le serveur demande: "**Une boisson?**" Ariane répond: "Ah oui. Deux **cocas. Ça fait combien?**" Le serveur répond: "Voilà. Ça fait dix euros."

Ariane et Fatima vont à une table et commencent à manger. Hum, c'est bon, les frites! Ariane mange le hamburger, mais elle crie: "Ahhhhh! Un euro dans le hamburger!" Le serveur dit: "C'est Halloween!"

Un hamburger extraordinaire

Purpose: To use the vocabulary to tell a story.

1. Display the vocabulary list (page 17) in class. Students use the list as a reference.

2. Show illustrations (page 19), then tell the story. Have students follow along.

3. Pick student actors for the story.

4. Tell the story in an animated way. At the same time help student actors perform the story.

5. Ask **Yes/No Questions.**

   Il est dix heures? (non)
   Ariane a faim? (oui)
   Ariane voudrait un hot-dog? (non)
   Un hamburger, des frites et deux cocas, ça fait cinquante dollars? (non)
   C'est un euro dans le hamburger? (oui)

6. Ask **Comprehension Questions** about the story.

Ariane et Fatima écoutent de la musique ou font du vélo?*	Ariane et Fatima écoutent de la musique.
Quelle heure est-il?	Il est minuit.
Qui a faim?	Ariane a faim.
Qui a soif?	Fatima a soif.
Ça fait combien, un hamburger, des frites et deux cocas?	Ça fait dix euros.

   *Hold out first your right and then your left hand to indicate the two choices.

7. Read the **Changed Story** and have students correct it.

   C'est le 31 octobre. Il est (1) <u>midi</u>. Ariane et Fatima écoutent de la musique. La musique est super. Ariane dit à Fatima: "Eh, j'ai (2) <u>soif</u>. Je voudrais un hamburger. Pas toi?" Fatima répond: "Non, mais j'ai (3) <u>faim</u>." Ariane a faim! Ariane demande: "On va chez (*name of local fast-food restaurant*)?" Fatima répond: "Mais il est minuit. Oh, bon d'accord, allons-y!"

   Ariane et Fatima arrivent à (*name of local fast-food restaurant*). Le serveur arrive et demande: "(4) <u>Tu t'appelles comment</u>?" Ariane répond: "Un (5) <u>hot-dog</u> et des frites, s'il vous plaît." Le serveur demande: "Une boisson?" Ariane répond: "Ah oui. Deux (6) <u>salades</u>. Ça fait (7) <u>comment</u>?" Le serveur répond: "Voilà. Ça fait dix euros."

   Ariane et Fatima vont à une table et commencent à manger. Hum, c'est bon, les frites! Ariane mange le hamburger, mais elle crie: "Ahhhhh! Un euro dans le hamburger!" Le serveur dit: "C'est Halloween!"

   Answer Key:
   (1) minuit (2) faim (3) soif (4) Vous désirez (5) hamburger (6) cocas (7) combien

8. Collaborate with students in establishing a list of guide words. **Note:** Guide words are a brief list of difficult words or phrases that occur in the story. Display the guide words.

9. Have students practice with partners using only the story's illustrations (page 19) and the guide words (if needed).

10. Have volunteers tell the story to the class. Students may use illustrations and guide words, if necessary.

11. Assessment: Have students record the story on audiocassettes or any electronic media. Students may use **only** the illustrations. Guide words may be used by students who need more direction. Evaluate the recordings and include them in students' portfolios.

12. Collaborate with students in writing the story based on the illustrations. Write the story as students copy it.

13. Have partners invent a new story or alter the original story. Have them draw new or altered illustrations and then tell the story to the class.

Step 1	**Gesturing New Vocabulary**

Purpose: To introduce the new vocabulary.

1. Show the vocabulary list on the right, covering up the English and Gesture columns.

2. Introduce the first three words/ expressions.

3. Say the words one at a time and do the gestures.

4. Have students imitate the gestures silently.

5. Say the words and have students gesture with their eyes closed.

6. Test individual students randomly. Say a word and have students do the gesture. (If a word is not understood by several students, it must be included when teaching the following set of words.)

7. Do gestures and have students say the words.

8. Say the words and have students give the English equivalents.

9. Repeat this process (Steps 1-8) for the next set of three words until all of the vocabulary list is presented.

10. Ask questions and have students answer.

   Sample Questions:
   Comment vas-tu?
   Tu as très faim à midi?
   Tu préfères la glace au chocolat ou la glace à la vanille?
   Tu aimes l'eau minérale?
   Qu'est-ce que tu voudrais manger?
   Qui est serveuse chez (name of local fast-food restaurant)?

11. The following day review the vocabulary list using the above steps with increased speed.

12. You may also want to check students' comprehension by creating matching quizzes and fill-in-the-blank exercises.

Note: Some ways to invent gestures include referencing American Sign Language books, making them up or soliciting student input.

French	English	Gesture
midi	noon	Show "12" with fingers and point to watch.
un café	a café	Point to a picture of a café.
la serveuse	the server	Pretend to be a female server carrying food on a tray.
voyons	let's see	Put index finger next to eye and look pensive.
une omelette	an omelette	Point to a picture of an omelette.
Donnez-moi....	Give me....	Point to someone and make giving motion.
de l'eau minérale	mineral water	Point to a picture of mineral water.
mal	bad	Thumbs down.
très	very	Thumbs up.
une salade	a salad	Point to a picture of salad.
un steak-frites	a steak with fries	Point to a picture of steak and fries.
une glace au chocolat	chocolate ice cream	Point to a picture of chocolate ice cream.
un jus de raisin	grape juice	Point to a picture of grape juice.

Additional Vocabulary
avec, française, tombe dans les pommes, regardent, à, nouveau, cherche, parle

Situations

1 Luc et un cousin américain vont au **café.** Luc demande: "Tu as faim?" Le cousin répond: "Oui. Je voudrais **une salade** et **un jus de raisin.**" Le serveur demande: "Vous désirez?" Luc répond: "Une salade, **une omelette** et deux jus de raisin, s'il vous plaît."

Le serveur arrive avec une salade de tomates. Le serveur dit: "Voilà." Le cousin demande: "C'est une salade?" Luc remarque: "Ah, c'est une salade française!"

2 Il est **midi** au Café des Tropiques. **La serveuse** demande à Sébastien: "Vous désirez?" Sébastien répond: "Je voudrais..."

La serveuse tombe dans les pommes.* Sébastien demande: "Ça va, Mademoiselle?" La serveuse répond: "**Mal.** J'ai soif. **Donnez-moi de l'eau minérale,** s'il vous plaît."

tombe dans les pommes = faints

3 Jean et Virginie vont au restaurant. Ils regardent le menu. Jean dit à Virginie: "**Voyons... steak-frites** dix euros! Tu as **très** faim?" Virginie répond: "Non, pas très." Jean demande: "Alors, on va chez (*name of local ice cream parlor*)?" Virginie répond: "Oui."

Ils vont chez (*name of local ice cream parlor*). Jean dit: "Deux **glaces au chocolat,** s'il vous plaît."

Advanced Story

Un Américain à Paris

Un acteur américain est à Paris pour un nouveau film. Il est **midi** et (*name of famous American actor*) a soif, alors il cherche **un café. La serveuse** arrive et demande: "Oh, bonjour. Vous désirez?" L'acteur américain répond: "**Voyons, une omelette.**" La serveuse demande: "Une boisson?" L'acteur américain répond: "Oh, oui. **Donnez-moi de l'eau minérale,** s'il vous plaît."

Un acteur français arrive au café. L'acteur français demande à l'acteur américain: "Eh, (*name of famous American actor*), comment vas-tu?" L'acteur américain répond: "**Mal.** Ça ne va pas bien."

La serveuse arrive. L'acteur français regarde l'omelette et l'eau minérale de l'acteur américain. L'acteur français remarque: "Tu n'as pas **très** faim!" L'acteur américain dit: "Non."

La serveuse parle à l'acteur français. La serveuse dit: "Bonjour, Monsieur. Vous désirez?" L'acteur français répond: "Moi, j'ai très faim. Je voudrais **une salade, un steak-frites,** une crêpe, **une glace au chocolat, un jus de raisin** et un café, s'il vous plaît."

L'acteur américain tombe dans les pommes!

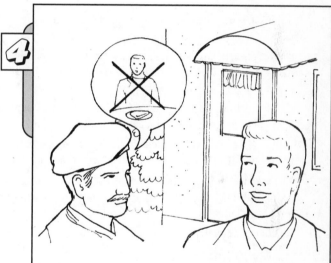

Purpose: To use the vocabulary to tell a story.

1. Display the vocabulary list (page 21) in class. Students use the list as a reference.

2. Show illustrations (page 23), then tell the story. Have students follow along.

3. Pick student actors for the story.

4. Tell the story in an animated way. At the same time help student actors perform the story.

5. Ask **Yes/No Questions.**

   Il est minuit? (non)
   L'acteur américain a très faim? (non)
   L'acteur américain va bien? (non)
   L'acteur français voudrait une glace au chocolat? (oui)
   L'acteur français a très faim? (oui)

6. Ask **Comprehension Questions** about the story.

Quelle heure est-il à Paris?	Il est midi à Paris.
Qu'est-ce que l'acteur américain cherche?	L'acteur américain cherche un café.
Qui voudrait de l'eau minérale?	L'acteur américain voudrait de l'eau minérale.
Comment va l'acteur américain?	L'acteur américain va mal.
Qui a très faim?	L'acteur français a très faim.

7. Read the **Changed Story** and have students correct it.

   Un acteur (1) <u>canadien</u> est à Paris pour un nouveau film. Il est (2) <u>six heures</u> et (*name of famous American actor*) a soif, alors il cherche un café. La serveuse arrive et demande: "Oh, bonjour. (3) <u>Ça fait combien</u>?" L'acteur américain répond: "Voyons, une omelette." La serveuse demande: "Une boisson?" L'acteur américain répond: "Oh, oui. Donnez-moi (4) <u>un hot-dog</u>, s'il vous plaît."

   Un acteur français arrive au café. L'acteur français demande à l'acteur américain: "Eh, (*name of famous American actor*), comment vas-tu?" L'acteur américain répond: "(5) <u>Très bien</u>. Ça ne va pas bien."

   (6) <u>Le serveur</u> arrive. L'acteur français regarde l'omelette et l'eau minérale de l'acteur américain. L'acteur français remarque: "Tu n'as pas très faim!" L'acteur américain dit: "Non."

   La serveuse parle à l'acteur français. La serveuse dit: "Bonjour, (7) <u>Madame</u>. Vous désirez?" L'acteur français répond: "Moi, j'ai très faim. Je voudrais une salade, un steak-frites, une crêpe, une glace au chocolat, un jus de raisin et un café, s'il vous plaît."

   L'acteur américain tombe dans les pommes!

   Answer Key:
   (1) américain (2) midi (3) Vous désirez? (4) de l'eau minérale (5) Mal (6) La serveuse (7) Monsieur

8. Collaborate with students in establishing a list of guide words. **Note:** Guide words are a brief list of difficult words or phrases that occur in the story. Display the guide words.

9. Have students practice with partners using only the story's illustrations (page 23) and the guide words (if needed).

10. Have volunteers tell the story to the class. Students may use illustrations and guide words, if necessary.

11. Assessment: Have students record the story on audiocassettes or any electronic media. Students may use only the illustrations. Guide words may be used by students who need more direction. Evaluate the recordings and include them in students' portfolios.

12. Collaborate with students in writing the story based on the illustrations. Write the story as students copy it.

13. Have partners invent a new story or alter the original story. Have them draw new or altered illustrations and then tell the story to the class.

Step 1	**Gesturing New Vocabulary**	

Purpose: To introduce the new vocabulary.

1. Show the vocabulary list on the right, covering up the English and Gesture columns.

2. Introduce the first three words/ expressions.

3. Say the words one at a time and do the gestures.

4. Have students imitate the gestures silently.

5. Say the words and have students gesture with their eyes closed.

6. Test individual students randomly. Say a word and have students do the gesture. (If a word is not understood by several students, it must be included when teaching the following set of words.)

7. Do gestures and have students say the words.

8. Say the words and have students give the English equivalents.

9. Repeat this process (Steps 1-8) for the next set of three words until all of the vocabulary list is presented.

10. Ask questions and have students answer.

   Sample Questions:
   Tu aimes les maths?
   Tu as maths le mercredi?
   Tu as maths à quelle heure?
   Tu as un ordinateur dans la salle de classe?
   Tu préfères l'école ou le sport?

11. The following day review the vocabulary list using the above steps with increased speed.

12. You may also want to check students' comprehension by creating matching quizzes and fill-in-the-blank exercises.

Note: Some ways to invent gestures include referencing American Sign Language books, making them up or soliciting student input.

French	English	Gesture
où est	where is	Put hand on forehead and shrug shoulders.
la salle de classe	the classroom	Point around the room.
les maths	math	Write math problems in the air.
là	there, here	Point to another part of the room.
(tu) as	(you) have	Point to one person and put hands on chest.
de	from	Hold two index fingers together and pull one away.
à	to	Put right index finger on watch.
le lundi	on Mondays	Point to Monday on a calendar.
le jeudi	on Thursdays	Point to Thursday on a calendar.
le vendredi	on Fridays	Point to Friday on a calendar.
le samedi	on Saturdays	Point to Saturday on a calendar.
un ordinateur	computer	Point to a computer.
(vous) avez besoin d'	(you) need	Point to one person and make begging hands.
un cahier	a notebook	Point to a notebook.
le mardi	on Tuesdays	Point to Tuesday on a calendar.
le mercredi	on Wednesdays	Point to Wednesday on a calendar.
Tant mieux.	That's great.	Jump to show excitement.

Situations

1 Antoine, un élève français, questionne un touriste américain, Mike. Antoine demande: "Qu'est-ce que **tu as** dans **la salle de classe?**" Mike répond: "**Un ordinateur,** des jeux vidéo, du coca..." Antoine remarque: "Pas possible! **Où est** la salle de classe?" Mike répond: "C'est chez moi. C'est le 'homeschooling'." Antoine dit: "Ah, d'accord."

2 Élise parle à maman. Élise annonce: "Nous **avons besoin de** crayons et de stylos pour **les maths.**" Maman dit: "Eh bien, allons chez (*name of discount department store*)."

On est chez (*name of discount department store*). L'employée dit: "Ça fait six euros." Maman dit: "Six euros, bien. Allons chez (*name of local ice cream parlor*)." Élise dit: "Super! Merci, maman!"

3 Philippe parle à Pascal à l'école. Philippe demande: "Tu as maths **de** onze heures **à** midi?" Pascal répond: "Non, pas **le lundi.**" Philippe demande: "Alors, on va à la cafétéria?" Pascal répond: "Oui, j'ai faim."

4 Max est chez Alexandre. Il est huit heures. Max dit à Alexandre: "Étudions les maths! Où est **le cahier?**" Alexandre répond: "Pas **là,** pas là,..." Max dit: "Ah, voilà le cahier." Alexandre dit: "**Tant mieux.** Étudions!"

Basic Story

Maths avec M. Chupin

Sandrine parle à Nathan à l'école. Sandrine dit: "Salut, Nathan! **Où est la salle de classe** de M. Chupin?" Nathan répond: "La salle de **maths** de M. Chupin, c'est **là. Tu as** maths **de** huit heures à neuf heures?" Sandrine répond: "Oui." Nathan dit: "Moi aussi. On y va?"

Sandrine et Nathan arrivent à la salle de M. Chupin. Il est huit heures. M. Chupin dit: "Bonjour. Je m'appelle M. Chupin. C'est la salle de maths. Nous avons maths **le lundi** à huit heures, **le jeudi** à trois heures, **le vendredi** à dix heures et **le samedi** à huit heures. Dans la salle nous avons vingt **ordinateurs. Vous avez besoin d'un cahier.** Bon, étudions..." Sandrine remarque: "C'est bizarre. Pas de maths **le mardi** et **le mercredi.**" Nathan dit: "**Tant mieux.** Je préfère le sport." M. Chupin demande: "Pardon?" Nathan répond: "Ça va...."

Purpose: To use the vocabulary to tell a story.

1. Display the vocabulary list (page 25) in class. Students use the list as a reference.

2. Show illustrations (page 27), then tell the story. Have students follow along.

3. Pick student actors for the story.

4. Tell the story in an animated way. At the same time help student actors perform the story.

5. Ask **Yes/No Questions.**

   Sandrine a maths de neuf heures à dix heures? (non)
   Sandrine a maths avec Nathan? (oui)
   Sandrine a besoin d'un cahier? (oui)
   Sandrine et Nathan n'ont pas de maths le mardi et le mercredi? (oui)
   Nathan aime beaucoup les maths? (non)

6. Ask **Comprehension Questions** about the story.

Où est la salle de maths?	La salle de maths est là.
Quelle heure est-il?	Il est huit heures.
Le prof de maths, il s'appelle comment?	Le prof de maths s'appelle M. Chupin.
Sandrine a maths à quelle heure le vendredi?	Sandrine a maths à dix heures le vendredi.
La salle de maths a combien d'ordinateurs?	La salle de maths a vingt ordinateurs.

7. Read the **Changed Story** and have students correct it.

   Sandrine parle à Nathan à l'école. Sandrine dit: "Salut, Nathan! (1) <u>Comment</u> est la salle de classe de M. Chupin?" Nathan répond: "La salle de maths de M. Chupin, c'est là. Tu as maths de huit heures à neuf heures?" Sandrine répond: "(2) <u>Tant mieux</u>." Nathan dit: "Moi aussi. On y va?"

   Sandrine et Nathan arrivent à la salle de M. Chupin. Il est (3) <u>dix</u> heures. M. Chupin dit: "Bonjour. Je m'appelle M. Chupin. C'est la salle de maths. Nous avons maths le lundi à huit heures, le jeudi à trois heures, le vendredi à dix heures et le samedi à huit heures. Dans la salle nous avons vingt (4) <u>omelettes</u>. Vous avez besoin d'un (5) <u>élève</u>. Bon, étudions..." Sandrine remarque: "C'est bizarre. Pas de maths (6) <u>le samedi et le dimanche</u>." Nathan dit: "Tant mieux. Je préfère (7) <u>les maths</u>." M. Chupin demande: "Pardon?" Nathan répond: "Ça va...."

   Answer Key:
   (1) Où (2) Oui (3) huit (4) ordinateurs (5) cahier (6) le mardi et le mercredi (7) le sport

8. Collaborate with students in establishing a list of guide words. **Note:** Guide words are a brief list of difficult words or phrases that occur in the story. Display the guide words.

9. Have students practice with partners using only the story's illustrations (page 27) and the guide words (if needed).

10. Have volunteers tell the story to the class. Students may use illustrations and guide words, if necessary.

11. Assessment: Have students record the story on audiocassettes or any electronic media. Students may use only the illustrations. Guide words may be used by students who need more direction. Evaluate the recordings and include them in students' portfolios.

12. Collaborate with students in writing the story based on the illustrations. Write the story as students copy it.

13. Have partners invent a new story or alter the original story. Have them draw new or altered illustrations and then tell the story to the class.

Step 1	**Gesturing New Vocabulary**

Purpose: To introduce the new vocabulary.

1. Show the vocabulary list on the right, covering up the English and Gesture columns.

2. Introduce the first three words/ expressions.

3. Say the words one at a time and do the gestures.

4. Have students imitate the gestures silently.

5. Say the words and have students gesture with their eyes closed.

6. Test individual students randomly. Say a word and have students do the gesture. (If a word is not understood by several students, it must be included when teaching the following set of words.)

7. Do gestures and have students say the words.

8. Say the words and have students give the English equivalents.

9. Repeat this process (Steps 1-8) for the next set of three words until all of the vocabulary list is presented.

10. Ask questions and have students answer.

   Sample Questions:
   C'est quel jour?
   Il est sept heures et demie?
   Tu as un sac à dos?
   Tu as un bon emploi du temps?
   Où est le cahier de maths?

11. The following day review the vocabulary list using the above steps with increased speed.

12. You may also want to check students' comprehension by creating matching quizzes and fill-in-the-blank exercises.

Note: Some ways to invent gestures include referencing American Sign Language books, making them up or soliciting student input.

French	English	Gesture
et demie	half past, thirty	Point to clock and write "30."
le sac à dos	the backpack	Point to a backpack.
l'école	school	Say name of your school.
juste	only, just	Show right index finger.
(elle) commence	(it) begins	Point to watch.
l'emploi du temps	the schedule	Point to a school schedule.
sur	on	Lay hand flat on desk.
le bureau	the desk	Point to your desk.
le livre d'anglais	the English book	Point to a book in English.
la disquette	the diskette	Point to a computer diskette.
le cours d'informatique	computer science class	Give computer science teacher's name and room number.
le professeur (le prof)	the teacher	Point to yourself.
le tableau	the (chalk)board	Point to (chalk)board.
Montrez-moi....	Show me....	Pretend to hold something and point to yourself.
Qu'est-ce que c'est?	What is this?	Shrug shoulders with hands open.
Zut!	Darn!	Stamp foot on floor.

Additional Vocabulary
fini, soudain, trébuche, voit, sont, regarde(nt)

Situations

1 Catherine est à (*name of local baseball/football stadium*). Le match est fini. Elle va chez elle. Soudain elle trébuche. Catherine dit: "Oh, **zut!** Mais... **qu'est-ce que c'est?** C'est **un sac à dos.** Et voilà **un livre** de maths.... Oh là là! C'est le livre de (*the first name of a girl or boy and the last name of a famous sports hero*)!"

Catherine va chez (*full name of famous sports hero*). Toc... toc... toc.... (*Full name of famous sports hero*) arrive et voit Catherine et le sac à dos. (*Full name of famous sports hero*) demande: "Eh, (*first name used previously*), c'est à toi? Oh, merci beaucoup, Mademoiselle. Vous avez soif?" Catherine répond: "Non, merci. Au revoir."

2 Deux élèves, Sophie et Marcelle, sont devant **le tableau.** Elles regardent un papier **sur le bureau.** Ludovic arrive. Ludovic dit: "Salut!" Sophie et Marcelle répondent: "Oh, salut!" Ludovic demande: "Qu'est-ce que c'est? **Montrez-moi,** s'il vous plaît." Sophie et Marcelle répondent: "Bon, d'accord. C'est **l'emploi du temps** de Bruno." Sophie dit: "Regarde! Il a **juste** cours **d'anglais** et biologie le mercredi." Ludovic dit: "Moi aussi." Sophie et Marcelle remarquent: "Hmmm... très intéressant."

3 Il est vingt heures. Manu est chez Théo. Manu demande à Théo: "À quelle heure tu vas à **l'école** demain?" Théo répond: "À sept heures **et demie.** Je **commence** avec **le cours d'informatique.**" Manu demande: "Qui est **le professeur?**" Théo répond: "C'est M. Jourdain." Manu dit: "Pas possible! Il est super! Tu as **la disquette** pour le chapitre quatre?" Théo répond: "Oui. On fait les devoirs?" Manu répond: "D'accord."

Advanced Story

Oh, zut!

C'est lundi. Il est sept heures **et demie.** Fabien prépare **le sac à dos** pour **l'école.** Il a **juste** trente minutes. L'école **commence** à huit heures. Maman demande à Fabien: "Tu as besoin de....?" Fabien demande: "Où est **l'emploi du temps?** Ah, **sur le bureau.** J'ai besoin du cahier de maths, du **livre d'anglais** et de **la disquette** pour **le cours d'informatique.**"

Il est huit heures. Fabien arrive dans la salle de classe de maths. **Le professeur** est devant **le tableau.** Le prof dit: "**Montrez-moi** les cahiers.... Bien... oui... d'accord.... Mais Fabien, **qu'est-ce que c'est?**" Fabien répond: "Pardon, c'est.... Oh, **zut!** C'est le cahier de biologie." Le prof dit: "Bon, au tableau, Fabien."

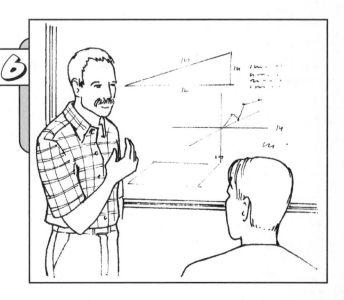

Purpose: To use the vocabulary to tell a story.

1. Display the vocabulary list (page 29) in class. Students use the list as a reference.

2. Show illustrations (page 31), then tell the story. Have students follow along.

3. Pick student actors for the story.

4. Tell the story in an animated way. At the same time help student actors perform the story.

5. Ask **Yes/No Questions.**

> C'est mercredi? (non)
> L'école commence à sept heures et demie? (non)
> Fabien a besoin du livre de maths? (non)
> Le professeur est sur le tableau? (non)
> Fabien a le cahier de biologie? (oui)

6. Ask **Comprehension Questions** about the story.

Quelle heure est-il chez Fabien?	Il est sept heures et demie.
Qu'est-ce que Fabien prépare?	Fabien prépare le sac à dos.
Où est l'emploi du temps de Fabien?	L'emploi du temps de Fabien est sur le bureau.
À quelle heure Fabien arrive dans la salle de maths?	Fabien arrive dans la salle de maths à huit heures.
Où va Fabien?	Fabien va au tableau.

7. Read the **Changed Story** and have students correct it.

> C'est (1) <u>mardi</u>. Il est sept heures et demie. Fabien prépare le sac à dos pour l'école. Il a juste trente minutes. L'école commence à (2) <u>neuf</u> heures. Maman demande à Fabien: "Tu as besoin de....?" Fabien demande: "Où est l'emploi du temps? Ah, sur le (3) <u>tableau</u>. J'ai besoin du cahier de maths, du livre d'anglais et de la disquette pour le cours d'informatique."

> Il est huit heures. Fabien arrive dans la salle de classe (4) <u>d'informatique</u>. Le professeur est devant le (5) <u>bureau</u>. Le prof dit: "Montrez-moi les cahiers.... Bien... oui... d'accord.... Mais Fabien, (6) <u>comment vas-tu</u>?" Fabien répond: "Pardon, c'est.... Oh, zut! C'est le cahier (7) <u>d'anglais</u>." Le prof dit: "Bon, au tableau, Fabien."

> **Answer Key:**
> (1) lundi (2) huit (3) bureau (4) de maths (5) tableau (6) qu'est-ce que c'est (7) de biologie

8. Collaborate with students in establishing a list of guide words. **Note:** Guide words are a brief list of difficult words or phrases that occur in the story. Display the guide words.

9. Have students practice with partners using only the story's illustrations (page 31) and the guide words (if needed).

10. Have volunteers tell the story to the class. Students may use illustrations and guide words, if necessary.

11. Assessment: Have students record the story on audiocassettes or any electronic media. Students may use only the illustrations. Guide words may be used by students who need more direction. Evaluate the recordings and include them in students' portfolios.

12. Collaborate with students in writing the story based on the illustrations. Write the story as students copy it.

13. Have partners invent a new story or alter the original story. Have them draw new or altered illustrations and then tell the story to the class.

Step 1	**Gesturing New Vocabulary**	

Purpose: To introduce the new vocabulary.

1. Show the vocabulary list on the right, covering up the English and Gesture columns.

2. Introduce the first three words/ expressions.

3. Say the words one at a time and do the gestures.

4. Have students imitate the gestures silently.

5. Say the words and have students gesture with their eyes closed.

6. Test individual students randomly. Say a word and have students do the gesture. (If a word is not understood by several students, it must be included when teaching the following set of words.)

7. Do gestures and have students say the words.

8. Say the words and have students give the English equivalents.

9. Repeat this process (Steps 1-8) for the next set of three words until all of the vocabulary list is presented.

10. Ask questions and have students answer.

    Sample Questions:
    Quelle est la date de ton anniversaire?
    Tu as un frère?
    Tu es brun(e)?
    Tu as quel âge?
    Ta mère est bavarde?

11. The following day review the vocabulary list using the above steps with increased speed.

12. You may also want to check students' comprehension by creating matching quizzes and fill-in-the-blank exercises.

French	English	Gesture
avril	April	Point to April on a calendar.
l'anniversaire	the birthday	Pretend to blow out candles while you hum the "Happy Birthday" song.
mon frère	my brother	Put hand on chest and show "brother" on a family tree.
brun	dark-haired	Point to a brunette's hair.
bavard	talkative	Say "Bla bla bla...."
un oiseau	a bird	Pretend to fly.
Que je suis bête!	How dumb I am!	Hit your forehead.
(Il) a quel âge?	How old is (he)?	Point to a boy, shrug your shoulders and count on your fingers.
ton	your	Extend right hand with palm up.
(Il) a... ans.	(He) is... years old.	Point to a boy and indicate number with fingers.
le chat	the cat	Say "Miaou."
la mère	the mother	Show "mother" on a family tree.
un membre de la famille	a member of the family	Show various people on a family tree.
le poisson	fish	Make wavy gesture with hand.
le cadeau	the gift	Pretend to open a box and look excited.

Note: Some ways to invent gestures include referencing American Sign Language books, making them up or soliciting student input.

Situations

1. Karima parle à Laurence. Karima demande: "Eh, qu'est-ce que c'est?" Laurence répond: "C'est **un cadeau** pour Patapouf." Karima demande: "Qui est Patapouf?" Laurence répond: "C'est **un membre de la famille.**" Karima demande: "C'est **ta mère? Ton oiseau?**" Laurence répond: "Mais non. C'est **le chat!**"

2. Caroline et Nadège sont au Café de Paris. Caroline dit: "Regarde le serveur!" Nadège demande: "Le garçon **brun** et **bavard**?" Caroline remarque: "Il ressemble à Thomas." Nadège dit: "C'est bizarre." Caroline demande: "Pourquoi?" Nadège répond: "C'est **mon frère.**"

   Le serveur arrive et dit: "Bonjour. Vous désirez?" Caroline demande: "Tu es le frère de Nadège?" Nadège dit: "**Poisson d'avril!**"* Caroline dit: "**Que je suis bête!**"

   *Cultural Note: Explain to your students that the French play practical jokes on their friends on April 1 and then say "Poisson d'avril!"

3. Justine finit une conversation téléphonique avec Margaux. Justine dit: "À demain à (*name of local shopping mall*)!" Margaux dit: "Non, pas possible. Demain c'est **l'anniversaire** de Frédéric." Justine dit: "Ah, oui... l'anniversaire de ton frère. **Il a quel âge** alors?" Margaux répond: "**Il a** dix-huit **ans.**" Justine demande: "On va faire du shopping pour le cadeau d'anniversaire?" Margaux répond: "Super! Allons-y!"

Basic Story

L'anniversaire de Guillaume

C'est le treize **avril.** Coco est devant une fenêtre. Kiki arrive et demande à Coco: "Ça va? Tu joues avec moi?" Coco répond: "Non, ce n'est pas possible. C'est **l'anniversaire** de **mon frère.**" Kiki demande: "Tu as un frère?" Coco répond: "Oui, le garçon **brun** et **bavard.** Il s'appelle Guillaume.... Ce n'est pas **un oiseau.**" Kiki dit: "**Que je suis bête! Il a quel âge, ton** frère?" Coco répond: "**Il a** douze **ans....** Attention! Voilà Pompon **le chat!**" Pompon dit: "Ah, j'ai faim!"

Mme Petit, **la mère** de Coco et de Guillaume, arrive et dit: "Pompon! Coco est **un membre de la famille!**" Pompon remarque: "Je préfère **le poisson!**" Mme Petit demande: "Coco, où est **le cadeau** pour Guillaume?" Coco répond: "Sur le bureau." Mme Petit dit: "Bon, d'accord. Tout le monde arrive."

Purpose: To use the vocabulary to tell a story.

1. Display the vocabulary list (page 33) in class. Students use the list as a reference.

2. Show illustrations (page 35), then tell the story. Have students follow along.

3. Pick student actors for the story.

4. Tell the story in an animated way. At the same time help student actors perform the story.

5. Ask **Yes/No Questions.**

   Coco est un oiseau? (oui)
   Guillaume est un chat? (non)
   C'est l'anniversaire de Kiki? (non)
   Guillaume a douze ans? (oui)
   Pompon a faim? (oui)

6. Ask **Comprehension Questions** about the story.

   Comment s'appelle le frère de Coco?   Il s'appelle Guillaume.
   Comment est Guillaume?   Guillaume est brun et bavard.
   Quel âge a Guillaume?   Guillaume a douze ans.
   Qui est Mme Petit?   Mme Petit est la mère de Coco et de Guillaume.
   Qu'est-ce que Pompon préfère?   Pompon préfère le poisson.

7. Read the **Changed Story** and have students correct it.

   C'est le (1) <u>trente</u> avril. Coco est devant une fenêtre. Kiki arrive et demande à Coco: "Ça va? Tu joues avec moi?" Coco répond: "Non, ce n'est pas possible. C'est l'anniversaire de mon frère." Kiki demande: "Tu as un (2) <u>chat</u>?" Coco répond: "Oui, le garçon brun et bavard. Il s'appelle Guillaume.... Ce n'est pas un oiseau." Kiki dit: "Que je suis (3) <u>brun</u>! Il a quel âge, ton frère?" Coco répond: "Il a douze ans.... Attention! Voilà Pompon le (4) <u>poisson</u>!" Pompon dit: "Ah, j'ai faim!"

   Mme Petit, la (5) <u>prof</u> de Coco et de Guillaume, arrive et dit: "Pompon! Coco est un membre de la famille!" Pompon remarque: "Je préfère le (6) <u>steak-frites</u>!" Mme Petit demande: "Coco, où est le cadeau pour Guillaume?" Coco répond: "Sur (7) <u>la table</u>." Mme Petit dit: "Bon, d'accord. Tout le monde arrive."

   Answer Key:
   (1) treize (2) frère (3) bête (4) chat (5) mère (6) poisson (7) le bureau

8. Collaborate with students in establishing a list of guide words. **Note:** Guide words are a brief list of difficult words or phrases that occur in the story. Display the guide words.

9. Have students practice with partners using only the story's illustrations (page 35) and the guide words (if needed).

10. Have volunteers tell the story to the class. Students may use illustrations and guide words, if necessary.

11. Assessment: Have students record the story on audiocassettes or any electronic media. Students may use only the illustrations. Guide words may be used by students who need more direction. Evaluate the recordings and include them in students' portfolios.

12. Collaborate with students in writing the story based on the illustrations. Write the story as students copy it.

13. Have partners invent a new story or alter the original story. Have them draw new or altered illustrations and then tell the story to the class.

Step 1	Gesturing New Vocabulary

Purpose: To introduce the new vocabulary.

1. Show the vocabulary list on the right, covering up the English and Gesture columns.

2. Introduce the first three words/ expressions.

3. Say the words one at a time and do the gestures.

4. Have students imitate the gestures silently.

5. Say the words and have students gesture with their eyes closed.

6. Test individual students randomly. Say a word and have students do the gesture. (If a word is not understood by several students, it must be included when teaching the following set of words.)

7. Do gestures and have students say the words.

8. Say the words and have students give the English equivalents.

9. Repeat this process (Steps 1-8) for the next set of three words until all of the vocabulary list is presented.

10. Ask questions and have students answer.

    Sample Questions:
    Nous sommes quel jour?
    Tu es en vacances?
    Comment est ton oncle? Ta tante?
    Tu as une photo de ta famille?
    Qui est paresseux?

11. The following day review the vocabulary list using the above steps with increased speed.

12. You may also want to check students' comprehension by creating matching quizzes and fill-in-the-blank exercises.

Note: Some ways to invent gestures include referencing American Sign Language books, making them up or soliciting student input.

French	English	Gesture
Nous sommes....	It's....	Point to a calendar.
le premier août	August first	Show "1" with your finger and point to August on a calendar.
la Guadeloupe	Guadeloupe	Show Guadeloupe on a map.
sept mille kilomètres	7,000 kilometers	Write "7 000 km" on the board.
en vacances	on vacation	Smile and pretend to be lying in the sun.
son oncle*	his uncle	Point to a boy and show "uncle" on a family tree.
sa tante	his aunt	Point to a boy and show "aunt" on a family tree.
tes cousines	your cousins	Point to one person and show "girl cousins" on a family tree.
la photo	the picture	Show a photo.
septembre	September	Point to September on a calendar.
un mois	one month	Show one month on a calendar.
paresseux	lazy	Twiddle your thumbs.
avec nous	with us	Point to another person and yourself.
blonde	blond	Point to a girl with blond hair.
ses parents	her parents	Point to a girl and show "parents" on a family tree.
sympa	nice	Smile and look friendly.

*When practicing possessive adjectives, you may want to point to either a boy or a girl to show that the possessive form depends not on the gender of the possessor but on the gender of the object possessed.

Additional Vocabulary
parle, français, à, voient, en, lui-même, amie

Situations

1 Dimitri parle à Mathieu. Dimitri dit: "Salut, Mathieu! Je te présente Philippe. Il est de **la Guadeloupe. Ses parents** sont chez **son oncle** et **sa tante** pour **un mois.**" Mathieu dit: "Hello!" Dimitri remarque: "Mathieu! La Guadeloupe, c'est français!" Mathieu dit: "Oh, que je suis bête! Bonjour, Philippe!"

2 **Nous sommes le premier août** à Tahiti. Maman dit à Nathalie: "**Tes cousines** arrivent demain de la Louisiane." Nathalie remarque: "Ah oui? Demain? Mais la Louisiane est à **sept mille kilomètres** de Tahiti!" Maman répond: "Oui... elles sont **en vacances.**" Nathalie demande: "Alors, on prépare un dîner de gala?"

3 Estelle parle à Marion. Estelle dit: "Tiens! C'est **une photo** de mon anniversaire. C'est Cédric." Marion remarque: "Il est **sympa.** Mais qui est la fille **blonde**?" Estelle répond: "Pas de panique! C'est sa sœur, Léa." Marion dit: "Ouf!"

4 Vincent et Max adorent jouer au basket. Vincent et Max demandent: "Vous jouez au basket **avec nous,** Pascal et Olivier?" Pascal répond: "Pas possible!" Vincent remarque: "Vous êtes **paresseux!**" Pascal répond: "Non, mais demain c'est le six **septembre.** On a une interro de physique. Olivier et moi, on préfère étudier." Max dit: "Pas de problème! Allons-y, Vincent!"

Advanced Story

Les vacances de Patrick

Nous sommes samedi. C'est **le premier août.** Patrick, qui a quinze ans, arrive à **la Guadeloupe.** C'est à **sept mille kilomètres** de la France. Patrick est **en vacances** chez **son oncle** Fortuné et **sa tante** Annette. Ils voient Patrick à l'aéroport. Oncle Fortuné dit: "Eh, Patrick! Ça va bien? Voilà **tes cousines** Clémence et Félicité." Patrick dit: "Bonjour. Vous ne ressemblez pas à **la photo!**" Clémence et Félicité remarquent: "On a onze ans... en **septembre!**" Patrick dit (à lui-même):"Oh, zut! **Un mois** avec deux cousines de dix ans!"

C'est le trois août chez Oncle Fortuné et Tante Annette. Félicité demande à Patrick: "Tu aimes nager, Patrick?" Patrick répond: "Pas beaucoup. Je préfère jouer aux jeux vidéo." Clémence remarque: "Que tu es **paresseux!**"

C'est le seize août. Clémence demande à Patrick: "Alors, Patrick, tu joues **avec nous?**" Patrick répond: "Bon d'accord, mais juste dix minutes. Tiens! Qui est la fille **blonde** derrière Félicité? Elle ressemble à..." Clémence répond: "Oh, c'est Mélanie. Elle est en vacances avec **ses parents.**" Patrick remarque: "Mélanie? Mais alors, c'est une amie de l'école. Elle est très **sympa.** Quelles vacances super!"

Purpose: To use the vocabulary to tell a story.

1. Display the vocabulary list (page 37) in class. Students use the list as a reference.

2. Show illustrations (page 39), then tell the story. Have students follow along.

3. Pick student actors for the story.

4. Tell the story in an animated way. At the same time help student actors perform the story.

5. Ask **Yes/No Questions**.

> C'est le mois d'avril? (non)
> Patrick va à la Guadeloupe? (oui)
> Clémence et Félicité ressemblent à la photo? (non)
> Elles ont vingt ans? (non)
> Mélanie est blonde? (oui)

6. Ask **Comprehension Questions** about the story.

Où est la Guadeloupe?	La Guadeloupe est à 7 000 kilomètres de la France.
Comment s'appelle l'oncle de Patrick?	Il s'appelle Fortuné.
Les cousines ont quel âge?	Les cousines ont onze ans... en septembre.
Patrick préfère nager ou jouer aux jeux vidéo?	Patrick préfère jouer aux jeux vidéo.
Comment sont les vacances de Patrick?	Les vacances de Patrick sont super.

7. Read the **Changed Story** and have students correct it.

> Nous sommes samedi. C'est le (1) <u>trois février</u>. Patrick, qui a quinze ans, arrive à la Guadeloupe. C'est à (2) <u>deux cents</u> kilomètres de la France. Patrick est en vacances chez son oncle Fortuné et sa tante Annette. Ils voient Patrick à l'aéroport. Oncle Fortuné dit: "Eh, Patrick! Ça va bien? Voilà tes cousines Clémence et Félicité." Patrick dit: "Bonjour. Vous ne ressemblez pas à la photo!" Clémence et Félicité remarquent: "On a (3) <u>quarante</u> ans... en septembre!" Patrick dit (à lui-même): "Oh, zut! Un mois avec deux cousines de dix ans!"
>
> C'est le trois août chez Oncle Fortuné et Tante Annette. Félicité demande à Patrick: "Tu aimes (4) <u>étudier</u>, Patrick?" Patrick répond: "Pas beaucoup. Je préfère jouer aux jeux vidéo." Clémence remarque: "Que tu es (5) <u>bête</u>!"
>
> C'est le seize août. Clémence demande à Patrick: "Alors, Patrick, tu joues avec nous?" Patrick répond: "Bon d'accord, mais juste dix minutes. Tiens! Qui est la fille blonde derrière Félicité? Elle ressemble à..." Clémence répond: "Oh, c'est Mélanie. Elle est en vacances avec ses (6) <u>cousines</u>." Patrick remarque: "Mélanie? Mais alors, c'est une amie de l'école. Elle est très (7) <u>bavarde</u>. Quelles vacances super!"

> **Answer Key:**
> (1) premier août (2) sept mille (3) onze (4) nager (5) paresseux (6) parents (7) sympa

8. Collaborate with students in establishing a list of guide words. **Note:** Guide words are a brief list of difficult words or phrases that occur in the story. Display the guide words.

9. Have students practice with partners using only the story's illustrations (page 39) and the guide words (if needed).

10. Have volunteers tell the story to the class. Students may use illustrations and guide words, if necessary.

11. Assessment: Have students record the story on audiocassettes or any electronic media. Students may use only the illustrations. Guide words may be used by students who need more direction. Evaluate the recordings and include them in students' portfolios.

12. Collaborate with students in writing the story based on the illustrations. Write the story as students copy it.

13. Have partners invent a new story or alter the original story. Have them draw new or altered illustrations and then tell the story to the class.

Step 1	Gesturing New Vocabulary

Purpose: To introduce the new vocabulary.

1. Show the vocabulary list on the right, covering up the English and Gesture columns.

2. Introduce the first three words/ expressions.

3. Say the words one at a time and do the gestures.

4. Have students imitate the gestures silently.

5. Say the words and have students gesture with their eyes closed.

6. Test individual students randomly. Say a word and have students do the gesture. (If a word is not understood by several students, it must be included when teaching the following set of words.)

7. Do gestures and have students say the words.

8. Say the words and have students give the English equivalents.

9. Repeat this process (Steps 1-8) for the next set of three words until all of the vocabulary list is presented.

10. Ask questions and have students answer.

   Sample Questions:
   Tu es canadien(ne)?
   Tu parles espagnol?
   Tu voudrais voyager où?
   Tu aimes aller au soleil?
   Quel temps fait-il aujourd'hui?

11. The following day review the vocabulary list using the above steps with increased speed.

12. You may also want to check students' comprehension by creating matching quizzes and fill-in-the-blank exercises.

Note: Some ways to invent gestures include referencing American Sign Language books, making them up or soliciting student input.

French	English	Gesture
canadien	Canadian	Point to the Canadian flag.
voyager	to travel	Walk with imaginary suitcases.
au soleil	to/in the sun	Point to a picture of the sun.
le Mexique	Mexico	Point to Mexico on a map.
l'Espagne	Spain	Point to Spain on a map.
Il fait chaud.	It's (The weather's) hot/ warm.	Point to the sky and wipe your forehead.
(je) parle	(I) speak	Make fingers open/close like a mouth.
l'espagnol	Spanish	Point to the Spanish flag.
le français	French	Point to the French flag.
l'anglais	English	Point to the British flag.
un comptable	accountant	Say the name of your school's bookkeeper.
le Japon	Japan	Point to Japan on a map.
(vous) travaillez	(you) work	Point to someone and act like you're busy working hard.
un cuisinier	cook	Say "Julia Child."

Situations

1 Dominique **parle** à Paul et Marc à l'école. Dominique demande: "**Vous travaillez**, les garçons?" Paul et Marc répondent: "Oui, nous avons un test demain." Dominique demande: "Quel cours?" Paul répond: "**Espagnol**." Marc dit: "Le professeur est très stricte." Dominique remarque: "Mon cousin, Manuel, parle espagnol." Paul dit: "Ah oui?" Dominique dit: "Sa mère est de Madrid, en **Espagne**." Marc dit: "Très bien. Alors, on travaille avec ton cousin, et après on va au café."

2 Saleh est chez Pascale après les cours. Elles écoutent des CDs. Saleh dit: "Oh... tu as un CD de Céline Dion." Pascale répond: "Oui, **le comptable** de mon père va souvent à Montréal." Saleh dit: "Montréal? Mais Céline Dion est **française**!" Pascale dit: "Mais non. Elle est **canadienne**." Saleh demande: "Alors, elle parle français ou **anglais**?" Pascale répond: "Elle parle français et anglais."

3 M. Brel dîne au restaurant "Le steak français." Le serveur dit: "Vous aimez le steak, Monsieur?" M. Brel répond: "Oui, mais la sauce est étrange. Ce n'est pas la sauce traditionnelle." Le serveur dit: "Monsieur, c'est la spécialité du **cuisinier**." M. Brel demande: "Comment s'appelle le cuisinier?" Le serveur répond: "Il est de Tokyo, au **Japon**." M. Brel dit: "Ah....!"

4 Deux pingouins parlent sur un iceberg. Pingouin #1 dit: "Oh, je voudrais **voyager**. L'iceberg, ce n'est pas intéressant!" Pingouin #2 demande: "Tu voudrais aller où?" Pingouin #1 répond: "**Au soleil**! Sur l'iceberg, **il** ne **fait** pas **chaud**. Donne-moi une idée!" Pingouin #2 demande: "Euh... **le Mexique**?" Pingouin #1 répond: "C'est ça, le Mexique. Ah...." Pingouin #2 remarque: "Mais tu ne parles pas espagnol!" Pingouin #1 dit: "Zut! Qui est professeur d'espagnol sur l'iceberg?"

Basic Story

Les vacances d'un millionnaire

Un millionnaire **canadien** arrive à une agence de voyage. L'agent dit: "Bonjour, M. Picsou. Comment allez-vous?" M. Picsou répond: "Pas mal." L'agent demande: "Alors, on voudrait **voyager au soleil**? **Le Mexique** ou l'**Espagne**, c'est super. **Il fait chaud**." M. Picsou remarque: "Oui, mais **je** ne **parle** pas **espagnol**. Je parle juste **français** et **anglais**." L'agent dit: "Voyons... mon **comptable** va souvent au **Japon**. Parler anglais n'est pas un problème...." M. Picsou dit: "Mais je voudrais un voyage original." L'agent dit: "Ah, voilà. Une semaine à New York." M. Picsou dit: "Ce n'est pas très original." L'agent répond: "Si. C'est une semaine et **vous travaillez** comme **cuisinier** dans un restaurant." M. Picsou dit: "D'accord! Magnifique!"

Les vacances d'un millionnaire

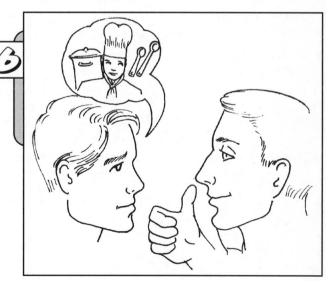

Purpose: To use the vocabulary to tell a story.

1. Display the vocabulary list (page 41) in class. Students use the list as a reference.

2. Show illustrations (page 43), then tell the story. Have students follow along.

3. Pick student actors for the story.

4. Tell the story in an animated way. At the same time help student actors perform the story.

5. Ask **Yes/No Questions.**

Le millionnaire est français? (non)
Il fait chaud au Mexique? (oui)
M. Picsou parle anglais? (oui)
M. Picsou voudrait un voyage ordinaire? (non)
À New York M. Picsou va travailler comme comptable? (non)

6. Ask **Comprehension Questions** about the story.

Qui est M. Picsou?	C'est un millionnaire canadien.
Quel temps fait-il en Espagne et au Mexique?	Il fait chaud.
M. Picsou ne voudrait pas aller au Mexique. Pourquoi?	Il ne parle pas espagnol.
Qui va souvent au Japon?	Le comptable de l'agent va souvent au Japon.
Où travaille un cuisinier?	Il travaille dans un restaurant.

7. Read the **Changed Story** and have students correct it.

Un millionnaire (1) <u>français</u> arrive à une agence de voyage. L'agent dit: "Bonjour, M. Picsou. Comment allez-vous?" M. Picsou répond: "Pas mal." L'agent demande: "Alors, on voudrait (2) <u>travailler</u> au soleil? Le (3) <u>Japon</u> ou l'Espagne, c'est super. Il fait chaud." M. Picsou remarque: "Oui, mais je ne parle pas espagnol. Je parle juste français et anglais." L'agent dit: "Voyons... mon comptable va souvent au (4) <u>Mexique</u>. Parler (5) <u>espagnol</u> n'est pas un problème...." M. Picsou dit: "Mais je voudrais un voyage original." L'agent dit: "Ah, voilà. (6) <u>Un mois</u> à New York." M. Picsou dit: "Ce n'est pas très original." L'agent répond: "Si. C'est une semaine et vous travaillez comme (7) <u>comptable</u> dans un restaurant." M. Picsou dit: "D'accord! Magnifique!"

Answer Key:
(1) canadien (2) voyager (3) Mexique (4) Japon (5) anglais (6) Une semaine (7) cuisinier

8. Collaborate with students in establishing a list of guide words. **Note:** Guide words are a brief list of difficult words or phrases that occur in the story. Display the guide words.

9. Have students practice with partners using only the story's illustrations (page 43) and the guide words (if needed).

10. Have volunteers tell the story to the class. Students may use illustrations and guide words, if necessary.

11. Assessment: Have students record the story on audiocassettes or any electronic media. Students may use only the illustrations. Guide words may be used by students who need more direction. Evaluate the recordings and include them in students' portfolios.

12. Collaborate with students in writing the story based on the illustrations. Write the story as students copy it.

13. Have partners invent a new story or alter the original story. Have them draw new or altered illustrations and then tell the story to the class.

Step 1 | Gesturing New Vocabulary

Purpose: To introduce the new vocabulary.

1. Show the vocabulary list on the right, covering up the English and Gesture columns.

2. Introduce the first three words/ expressions.

3. Say the words one at a time and do the gestures.

4. Have students imitate the gestures silently.

5. Say the words and have students gesture with their eyes closed.

6. Test individual students randomly. Say a word and have students do the gesture. (If a word is not understood by several students, it must be included when teaching the following set of words.)

7. Do gestures and have students say the words.

8. Say the words and have students give the English equivalents.

9. Repeat this process (Steps 1-8) for the next set of three words until all of the vocabulary list is presented.

10. Ask questions and have students answer.

   Sample Questions:
   Quelle est la profession de tes parents?
   Tu voudrais être médecin?
   Rome, c'est en France?
   Il fait beau aujourd'hui à (name of your city)?
   Tu as de la chance?

11. The following day review the vocabulary list using the above steps with increased speed.

12. You may also want to check students' comprehension by creating matching quizzes and fill-in-the-blank exercises.

Note: Some ways to invent gestures include referencing American Sign Language books, making them up or soliciting student input.

French	English	Gesture
une profession	occupation	Sit at a desk and pretend to do work.
l'Italie	Italy	Point to Italy on a map.
Il fait beau.	It's (The weather's) beautiful/nice.	Point to the sky and give "thumbs up" sign.
Il fait du soleil.	It's sunny.	Point to the sun.
la chance	luck	Show a rabbit's foot.
(vous) venez de	you come from	Point to someone and with your thumb indicate something behind you.
la Belgique	Belgium	Point to Belgium on a map.
un coiffeur	hairdresser	Point to a boy and pretend to fix someone's hair.
un médecin	doctor	Pretend to take someone's pulse.
un homme au foyer	househusband	Point to a boy and pretend to vacuum.
un infirmier	nurse	Point to a boy and pretend to give a shot.
autre	other	Show thumb and move hand to the side.

Additional Vocabulary
à, regardez, nouveau, numéro

Situations

1 À la télévision. "Eh, nous sommes le lundi 19 juillet. Regardez la carte! **L'Italie**, **il fait du soleil**, magnifique! Les touristes ont de **la chance**. **La Belgique** et la France, **il fait beau**. Et pour demain, pas de changement. Dans un moment, le sport avec mon collègue Michel Denis. À bientôt!"

2 On est chez **le coiffeur**. Le coiffeur est très bavard. Le coiffeur dit à un client timide: "Bonjour. Ça va?" Le client répond: "Bien."

Le coiffeur fait le shampooing. Le coiffeur demande: "**Vous venez d'**où?" Le client répond: "Je viens de Rouen." Le coiffeur remarque: "Ma tante vient aussi de Rouen. Belle cathédrale à Rouen?" Le client répond: "Oui." Le coiffeur demande: "Qu'est-ce que vous faites?" Le client répond: "Je suis **médecin**." Le coiffeur demande: "Alors, c'est vous le nouveau médecin du village?" Le client répond: "C'est moi, oui." Le coiffeur remarque: "Eh, voilà le nouveau médecin!"

3 On est à l'hôpital. La secrétaire dit à M. Villette: "Monsieur, j'ai besoin d'information. Une ou deux minutes?" M. Villette dit: "D'accord." La secrétaire demande: "Vous êtes le père?" M. Villette répond: "Oui, c'est ça." La secrétaire demande: "Quelle est votre **profession**?" M. Villette répond: "**Homme au foyer**. Mme Villette est ingénieur."

La secrétaire remarque: "Ah, voilà **un infirmier**. Comment va le garçon?" L'infirmier répond: "Très bien."

La secrétaire dit: "Je n'ai pas d'**autres** questions, M. Villette."

Advanced Story

Quelle est votre profession?

On est dans un studio de télévision. L'annonceur dit: "C'est l'heure de 'Quelle est votre **profession**?' Et voilà Michel Ferrié."

Michel dit: "Bonjour, bonjour. Merci beaucoup. Ça va? Aujourd'hui nous avons un nouveau candidat, Patrick Sarlais, et un cadeau. Le cadeau, qu'est-ce que c'est?" L'annonceur dit: "Michel, le cadeau, c'est un mois en **Italie**. Ah, l'Italie. **Il fait beau**, il fait du soleil." Michel dit: "Bonne **chance**, Patrick. Alors, vous aimez voyager?" Patrick répond: "Oui, beaucoup." Michel demande: "D'où **venez-vous**?" Patrick répond: "Je viens de **Belgique**." Michel dit: "Très bien! On commence à jouer?" Patrick répond: "D'accord." Michel dit: "Numéro 34, 34."

Un membre de l'audience arrive. Michel dit: "Bonjour. Patrick, vous avez une minute. Quelle est sa profession? Allez-y!" Numéro 34 fait un mime.

Après une minute Patrick dit: "Euh... **coiffeur**... **médecin**... **homme au foyer**!" Gong! Michel dit: "Ah, Patrick. Quelle est votre profession, Numéro 34?" Numéro 34 répond: "Je suis **infirmier**." Michel dit: "Bon, eh bien, pas d'Italie, Patrick. À demain avec un nouveau candidat et une **autre** profession!"

Quelle est votre profession?

Purpose: To use the vocabulary to tell a story.

1. Display the vocabulary list (page 45) in class. Students use the list as a reference.

2. Show illustrations (page 47), then tell the story. Have students follow along.

3. Pick student actors for the story.

4. Tell the story in an animated way. At the same time help student actors perform the story.

5. Ask **Yes/No Questions.**

   Michel est le nouveau candidat? (non)
   Le cadeau, c'est une semaine en Italie? (non)
   Patrick vient de Belgique? (oui)
   Numéro 34 est coiffeur? (non)
   Demain Patrick joue à "Quelle est votre profession?" (non)

6. Ask **Comprehension Questions** about the story.

Qui est Patrick?	Patrick est le nouveau candidat.
Le cadeau, qu'est-ce que c'est?	C'est un mois en Italie.
Quel temps fait-il en Italie?	Il fait beau, il fait du soleil.
D'où vient Patrick?	Il vient de Belgique.
Quelle est la profession de Numéro 34?	Il est infirmier.

7. Read the **Changed Story** and have students correct it.

   On est dans un studio de télévision. L'annonceur dit: "C'est l'heure de 'Quelle est votre profession?' Et voilà Michel Ferrié."

   Michel dit: "Bonjour, bonjour. Merci beaucoup. Ça va? Aujourd'hui nous avons un nouveau candidat, Patrick Sarlais, et un cadeau. Le cadeau, qu'est-ce que c'est?" L'annonceur dit: "Michel, le cadeau, c'est un mois en (1) <u>Espagne</u>. Ah, l'Italie. Il fait beau, il fait du soleil." Michel dit: "(2) <u>Bon anniversaire</u>, Patrick. Alors, vous aimez (3) <u>parler</u>?" Patrick répond: "Oui, beaucoup." Michel demande: "D'où venez-vous?" Patrick répond: "Je viens (4) <u>d'Italie</u>." Michel dit: "Très bien! On commence à jouer?" Patrick répond: "D'accord." Michel dit: "Numéro 34, 34."

   Un membre de l'audience arrive. Michel dit: "Bonjour. Patrick, vous avez une minute. Quelle est sa profession? Allez-y!" Numéro 34 fait un mime.

   Après une minute Patrick dit: "Euh... coiffeur... médecin... (5) <u>professeur</u>!" Gong! Michel dit: "Ah, Patrick. Quelle est votre profession, Numéro 34?" Numéro 34 répond: "Je suis (6) <u>canadien</u>." Michel dit: "Bon, eh bien, pas d'Italie, Patrick. À demain avec un nouveau candidat et une autre (7) <u>photo</u>!"

   Answer Key:
   (1) Italie (2) Bonne chance (3) voyager (4) de Belgique (5) homme au foyer (6) infirmier (7) profession

8. Collaborate with students in establishing a list of guide words. **Note:** Guide words are a brief list of difficult words or phrases that occur in the story. Display the guide words.

9. Have students practice with partners using only the story's illustrations (page 47) and the guide words (if needed).

10. Have volunteers tell the story to the class. Students may use illustrations and guide words, if necessary.

11. Assessment: Have students record the story on audiocassettes or any electronic media. Students may use only the illustrations. Guide words may be used by students who need more direction. Evaluate the recordings and include them in students' portfolios.

12. Collaborate with students in writing the story based on the illustrations. Write the story as students copy it.

13. Have partners invent a new story or alter the original story. Have them draw new or altered illustrations and then tell the story to the class.

Step 1 | Gesturing New Vocabulary

Purpose: To introduce the new vocabulary.

1. Show the vocabulary list on the right, covering up the English and Gesture columns.

2. Introduce the first three words/expressions.

3. Say the words one at a time and do the gestures.

4. Have students imitate the gestures silently.

5. Say the words and have students gesture with their eyes closed.

6. Test individual students randomly. Say a word and have students do the gesture. (If a word is not understood by several students, it must be included when teaching the following set of words.)

7. Do gestures and have students say the words.

8. Say the words and have students give the English equivalents.

9. Repeat this process (Steps 1-8) for the next set of three words until all of the vocabulary list is presented.

10. Ask questions and have students answer.

    Sample Questions:
    Tu vas souvent au centre commercial?
    Est-ce que tu aimes acheter des vêtements?
    Quelle couleur est-ce que tu préfères?
    Tu fais du combien?
    Un pantalon (name of designer), *ça coûte combien?*

11. The following day review the vocabulary list using the above steps with increased speed.

12. You may also want to check students' comprehension by creating matching quizzes and fill-in-the-blank exercises.

Note: Some ways to invent gestures include referencing American Sign Language books, making them up or soliciting student input.

French	English	Gesture
un centre commercial	shopping center	Say the name of a local mall.
(on) trouve	(one) finds	Lift something out of an imaginary box as if you are finding it.
des choses	things	Point to a variety of different objects.
(elles) cherchent	(they) look for	Point to two girls and look through an imaginary magnifying glass.
(on) achète	(we) buy	Exchange money for an object.
un vêtement	an article of clothing	Point to an article of clothing.
le pantalon	the (pair of) pants	Point to someone's pants.
rouge	red	Point to something red in the classroom.
Beurk!	Yuk!	Stick out your tongue in disgust.
la couleur	the color	Point to objects of various colors.
le pull	the sweater	Point to a sweater.
bleu	blue	Point to something blue in the classroom.
adorer	to love	Point to your heart.
(elle) fait du	(she) wears size	Point to a girl and a garment label.
moche	ugly	Make a facial expression of disgust.
les sweats	sweatshirts	Point to several sweatshirts.

Situations

1 Un touriste chinois parle à un agent de police. Le touriste dit: "Pardon, je voudrais **acheter des choses**. Où est-ce qu'**on trouve** des pommes et du fromage?" L'agent de police répond: "Oh, c'est simple. Allez au **centre commercial**." Le touriste demande: "Où est le centre commercial?" L'agent de police répond: "Il est derrière le restaurant. Ça s'appelle 'Les quatre saisons.'" Le touriste dit: "Merci."

2 Deux filles, Laure et Charlotte, parlent. Laure a un sac. Charlotte demande: "Qu'est-ce que tu as dans ton sac?" Laure répond: "Ce sont des **vêtements**. Ils sont **moches** sur moi." Charlotte remarque: "Pas possible! Montre-moi!"

Laure montre les vêtements. Charlotte remarque: "Oh, j'**adore le pull rouge**!" Laure dit: "C'est pour toi, alors." Charlotte dit: "Merci, Laure. Et le **sweat**, c'est pas mal. Tu n'aimes pas?" Laure répond: "**Beurk!** C'est pour toi aussi." Charlotte dit: "Merci. C'est très sympa."

3 Yasmine est chez (*name of local department store*). Yasmine dit à l'employé: "Bonjour. Je **cherche** un **pantalon**." L'employée dit: "Bonjour. Quelle **couleur** préférez-vous?" Yasmine répond: "**Bleu**." L'employée dit: "Bon. Vous **faites du** combien?" Yasmine répond: "40, s'il vous plaît." L'employée dit: "Ah... voilà un 40 en bleu." Yasmine dit: "Merci, Mademoiselle."

Basic Story

Qui aime les pulls?

Delphine et Jamila sont au **centre commercial**. Au centre commercial **on trouve** beaucoup de **choses**. Demain c'est l'anniversaire de Caroline. Alors, les deux filles **cherchent** un cadeau. Delphine demande: "**On achète un vêtement** ou des CDs?" Jamila répond: "Je préfère un vêtement. Pas toi?" Delphine répond: "Si."

Les filles entrent dans une boutique. Delphine dit: "Tiens, **le pantalon rouge**! Sympa, non?" Jamila répond: "**Beurk!** Je n'aime pas la **couleur**." Delphine dit: "Bon. Et **le pull bleu**, il n'est pas mal. Caroline va **adorer** ça." Jamila dit: "Oui, c'est très chic. Elle **fait du** combien, Caroline?" Delphine répond: "Du 38, comme moi."

Oh là là! Caroline arrive. Elle demande: "Eh, qu'est-ce que vous faites?" Delphine répond: "Oh, on fait du shopping." Caroline demande: "Tu aimes le pull?" Delphine répond: "Oui. Pourquoi?" Caroline répond: "Je trouve le pull **moche**." Delphine et Jamila remarquent: "Moche?" Caroline répond: "Je n'aime pas le bleu. Je n'aime pas les pulls. Je préfère **les sweats**."

Qui aime les pulls?

Purpose: To use the vocabulary to tell a story.

1. Display the vocabulary list (page 49) in class. Students use the list as a reference.

2. Show illustrations (page 51), then tell the story. Have students follow along.

3. Pick student actors for the story.

4. Tell the story in an animated way. At the same time help student actors perform the story.

5. Ask **Yes/No Questions.**

> Delphine et Jamila sont à l'agence de voyage? (non)
> Les deux filles cherchent un cadeau? (oui)
> Delphine aime le pantalon rouge? (oui)
> Caroline fait du 40? (non)
> Caroline trouve le pull moche? (oui)

6. Ask **Comprehension Questions** about the story.

Pourquoi les deux filles cherchent-elles un cadeau?	Demain c'est l'anniversaire de Caroline.
Qu'est-ce qu'elles vont acheter?	Elles vont acheter un vêtement.
De quelle couleur est le pull?	Il est bleu.
Comment est le pull bleu pour Caroline?	Caroline trouve le pull bleu moche.
Caroline n'aime pas le pull bleu. Pourquoi?	Elle n'aime pas le bleu et elle n'aime pas les pulls.

7. Read the **Changed Story** and have students correct it.

> Delphine et Jamila sont au centre commercial. Au centre commercial on trouve beaucoup de (1) <u>professions</u>. Demain c'est l'anniversaire de Caroline. Alors, les deux filles cherchent un cadeau. Delphine demande: "On achète un (2) <u>oiseau</u> ou des CDs?" Jamila répond: "Je préfère un vêtement. Pas toi?" Delphine répond: "Si."
>
> Les filles entrent dans une boutique. Delphine dit: "Tiens, le (3) <u>cahier</u> rouge! Sympa, non?" Jamila répond: "Beurk! Je n'aime pas la couleur." Delphine dit: "Bon. Et le pull bleu, il n'est pas mal. Caroline va (4) <u>acheter</u> ça." Jamila dit: "Oui, c'est très chic. Elle fait du combien, Caroline?" Delphine répond: "Du 38, comme moi."
>
> Oh là là! Caroline arrive. Elle demande: "Eh, qu'est-ce que vous faites?" Delphine répond: "Oh, on fait du (5) <u>vélo</u>." Caroline demande: "Tu aimes le pull?" Delphine répond: "Oui. Pourquoi?" Caroline répond: "Je trouve le pull (6) <u>super</u>." Delphine et Jamila remarquent: "Moche?" Caroline répond: "Je n'aime pas le bleu. Je n'aime pas les pulls. Je préfère les (7) <u>chats</u>."

> **Answer Key:**
> (1) choses (2) vêtement (3) pantalon (4) adorer (5) shopping (6) moche (7) sweats

8. Collaborate with students in establishing a list of guide words. **Note:** Guide words are a brief list of difficult words or phrases that occur in the story. Display the guide words.

9. Have students practice with partners using only the story's illustrations (page 51) and the guide words (if needed).

10. Have volunteers tell the story to the class. Students may use illustrations and guide words, if necessary.

11. Assessment: Have students record the story on audiocassettes or any electronic media. Students may use only the illustrations. Guide words may be used by students who need more direction. Evaluate the recordings and include them in students' portfolios.

12. Collaborate with students in writing the story based on the illustrations. Write the story as students copy it.

13. Have partners invent a new story or alter the original story. Have them draw new or altered illustrations and then tell the story to the class.

Step 1	**Gesturing New Vocabulary**

Purpose: To introduce the new vocabulary.

1. Show the vocabulary list on the right, covering up the English and Gesture columns.
2. Introduce the first three words/ expressions.
3. Say the words one at a time and do the gestures.
4. Have students imitate the gestures silently.
5. Say the words and have students gesture with their eyes closed.
6. Test individual students randomly. Say a word and have students do the gesture. (If a word is not understood by several students, it must be included when teaching the following set of words.)
7. Do gestures and have students say the words.
8. Say the words and have students give the English equivalents.
9. Repeat this process (Steps 1-8) for the next set of three words until all of the vocabulary list is presented.
10. Ask questions and have students answer.

    Sample Questions:
    Tu aimes quel magasin?
    Tu aimes les jupes longues ou courtes?
    Tu aimes le beige?
    Qui porte un nouvel ensemble?
    Ta mère porte des tailleurs?

11. The following day review the vocabulary list using the above steps with increased speed.
12. You may also want to check students' comprehension by creating matching quizzes and fill-in-the-blank exercises.

Note: Some ways to invent gestures include referencing American Sign Language books, making them up or soliciting student input.

French	English	Gesture
un magasin	a store	Say the name of a local store.
cher	expensive	Say an exorbitant price in French and rub thumb and forefinger together.
il y a	there is/are	Put your right hand on the palm of your left hand.
un ensemble	an outfit	Point to someone's outfit.
beige	beige	Point to something beige in the classroom.
la jupe	the skirt	Point to someone's skirt.
longue	long	Extend your arms.
(on) porte	(one) wears	Point to your own clothes.
un tailleur	a woman's suit	Point to a picture of a woman's suit.
la veste	the jacket	Point to a picture of a jacket.
blancs	white	Point to white objects in the classroom.
le soir	in the evening	Indicate 6:00 to 12:00 on a clock and draw a moon.
des bottes	boots	Pretend to put on boots.

Additional Vocabulary

célèbre, taches, trop, assez, bal, regardent, défilé, lui, s'asseoir, maintenant, numéro, marche, ce

Situations

1 Une actrice célèbre est au restaurant avec un journaliste très important. Le serveur dit: "La pizza, c'est pour Monsieur. Les spaghetti, c'est pour Madame. Attention! **Il y a** beaucoup de sauce!" Le serveur donne les spaghetti à l'actrice et... catastrophe! Il y a de la sauce sur le **tailleur blanc** de l'actrice!

Le serveur dit: "Pardon, je vais chercher...." L'actrice répond: "Ça va." Elle fait d'autres taches sur son tailleur avec la sauce et dit: "Voilà. Le blanc, c'est trop ordinaire. Ce n'est pas assez moderne!"

2 Julia et Leslie parlent du bal pour "Prom." C'est demain **soir**. Julie demande: "Qu'est-ce que tu vas **porter** demain?" Leslie répond: "Une **jupe longue** avec une **veste** et **des bottes**." Julia dit: "Super!" Leslie demande: "Et toi?" Julia répond: "Un pull et un pantalon." Leslie remarque: "Oh non! Ce n'est pas assez élégant. Tiens, tu aimes ma jupe verte?" Julia répond: "Oui, beaucoup." Leslie dit: "Alors, tu vas porter ma jupe verte."

3 Louise parle à son père. Louise dit: "Oh, papa, je voudrais acheter **un ensemble**. Il est **beige**, très beau...." Papa demande: "Quel **magasin**?" Louise répond: "(*Name of expensive boutique*.)" Papa demande: "Mais... combien il coûte?" Louise répond: "200 euros." Papa dit: "C'est trop **cher**!" Louise dit: "Il y a un autre ensemble. Il coûte 100 euros." Papa dit: "Alors, tu achètes l'ensemble à 100 euros." Louise dit: "Merci, papa."

Advanced Story

Star d'un jour

Matt et Amy, deux étudiants américains, sont à Paris pour une semaine. Aujourd'hui ils vont au Printemps faire du shopping. Le Printemps est **un** grand **magasin** populaire et chic. Matt et Amy regardent les vêtements, mais ils n'achètent pas parce que c'est trop **cher**. Amy dit: "Tiens, **il y a** un défilé à dix heures. On y va?" Matt répond: "C'est un défilé pour les filles." Amy dit: "Fais un effort!" Matt dit: "Bon, je viens."

Matt et Amy arrivent au défilé. Une femme dit à Amy: "S'il vous plaît... nous avons un problème. (*Name of famous model*) n'est pas là et le défilé commence dans dix minutes. Vous lui ressemblez! On a besoin de vous!" Amy accepte la proposition. Elle va avec la femme et Matt va s'asseoir.

Le présentateur dit: "Et maintenant, numéro dix. C'est **un ensemble beige**. Très chic. **La jupe** est **longue** et le pull est chaud. Quelle élégance! On adore la couleur." (Petit applaudissement.) "Numéro onze **porte un tailleur** pantalon. Le pantalon et **la veste** sont **blancs**. **Le soir**, on porte le tailleur avec **des bottes**." (Petit applaudissement.) "Numéro douze porte un ensemble de sport..." (Amy marche timidement.) Les spectateurs applaudissent beaucoup. Un journaliste demande: "Qui est ce mannequin? Elle est magnifique!" Matt fait des photos pour le "yearbook." Super!

Après le défilé la femme dit à Amy: "Merci beaucoup, vous êtes super! Voilà un chèque de 20 000 euros. Amy dit: "Merci! Matt, on achète maintenant?" Matt répond: "D'accord!"

Star d'un jour

Purpose: To use the vocabulary to tell a story.

1. Display the vocabulary list (page 53) in class. Students use the list as a reference.

2. Show illustrations (page 55), then tell the story. Have students follow along.

3. Pick student actors for the story.

4. Tell the story in an animated way. At the same time help student actors perform the story.

5. Ask **Yes/No Questions**.

   Amy et Matt vont au centre commercial? (non)
   Le défilé est à deux heures? (non)
   Numéro dix porte un pantalon et une veste blancs? (non)
   Amy porte un ensemble de sport au défilé? (oui)
   Le chèque est de 20 000 euros? (oui)

6. Ask **Comprehension Questions** about the story.

Pourquoi est-ce que Matt et Amy n'achètent pas au Printemps?	C'est trop cher.
Qu'est-ce qu'il y a à dix heures?	Il y a un défilé.
Quel est le problème?	(*Name of famous model*) n'est pas là.
Le mannequin numéro dix, qu'est-ce qu'elle porte?	Elle porte un ensemble beige.
Le chèque est de combien?	Le chèque est de 20 000 euros.

7. Read the **Changed Story** and have students correct it.

   Matt et Amy, deux étudiants américains, sont à Paris pour une semaine. Aujourd'hui ils vont au Printemps faire du shopping. Le Printemps est un grand (1) <u>restaurant</u> populaire et chic. Matt et Amy regardent les vêtements, mais ils n'achètent pas parce que c'est trop cher. Amy dit: "Tiens, il y a un (2) <u>concert</u> à dix heures. On y va?" Matt répond: "C'est un défilé pour les filles." Amy dit: "Fais un effort!" Matt dit: "Bon, je viens."

   Matt et Amy arrivent au défilé. Une femme dit à Amy: "S'il vous plaît... nous avons un problème. (*Name of famous model*) n'est pas là et le défilé commence dans dix minutes. Vous lui ressemblez! On a besoin de vous!" Amy accepte la proposition. Elle va avec la femme et Matt va s'asseoir.

   Le présentateur dit: "Et maintenant, numéro dix. C'est un ensemble (3) <u>bleu</u>. Très (4) <u>moche</u>. La jupe est longue et le pull est chaud. Quelle élégance! On adore la couleur." (Petit applaudissement.) "Numéro onze porte un tailleur pantalon. Le pantalon et (5) <u>le sweat</u> sont blancs. Le soir, on porte le tailleur avec des (6) <u>choses</u>." (Petit applaudissement.) "Numéro douze porte un ensemble de sport..." (Amy marche timidement.) Les spectateurs applaudissement beaucoup. Un journaliste demande: "Qui est ce (7) <u>médecin</u>? Elle est magnifique!" Matt fait des photos pour le "yearbook." Super!

   Après le défilé la femme dit à Amy: "Merci beaucoup, vous êtes super! Voilà un chèque de 20 000 euros. Amy dit: "Merci! Matt, on achète maintenant?" Matt répond: "D'accord!"

   Answer Key:
   (1) magasin (2) défilé (3) beige (4) chic (5) la veste (6) bottes (7) mannequin

8. Collaborate with students in establishing a list of guide words. **Note:** Guide words are a brief list of difficult words or phrases that occur in the story. Display the guide words.

9. Have students practice with partners using only the story's illustrations (page 55) and the guide words (if needed).

10. Have volunteers tell the story to the class. Students may use illustrations and guide words, if necessary.

11. Assessment: Have students record the story on audiocassettes or any electronic media. Students may use only the illustrations. Guide words may be used by students who need more direction. Evaluate the recordings and include them in students' portfolios.

12. Collaborate with students in writing the story based on the illustrations. Write the story as students copy it.

13. Have partners invent a new story or alter the original story. Have them draw new or altered illustrations and then tell the story to the class.

	Step 1	Gesturing New Vocabulary

Purpose: To introduce the new vocabulary.

1. Show the vocabulary list on the right, covering up the English and Gesture columns.

2. Introduce the first three words/ expressions.

3. Say the words one at a time and do the gestures.

4. Have students imitate the gestures silently.

5. Say the words and have students gesture with their eyes closed.

6. Test individual students randomly. Say a word and have students do the gesture. (If a word is not understood by several students, it must be included when teaching the following set of words.)

7. Do gestures and have students say the words.

8. Say the words and have students give the English equivalents.

9. Repeat this process (Steps 1-8) for the next set of three words until all of the vocabulary list is presented.

10. Ask questions and have students answer.

   Sample Questions:
   Qui fait les courses dans ta famille?
   Tu préfères quel supermarché?
   Est-ce que les marchands sont sympa à (name of local supermarket)?
   Tu aimes les légumes?
   Où es-tu maintenant?

11. The following day review the vocabulary list using the above steps with increased speed.

12. You may also want to check students' comprehension by creating matching quizzes and fill-in-the-blank exercises.

Note: Some ways to invent gestures include referencing American Sign Language books, making them up or soliciting student input.

French	English	Gesture
maintenant	now	Point emphatically toward the ground.
(elle) veut	(she) wants	Point to a girl and make begging hands.
une bouillabaisse	fish soup	Make gesture of fish swimming and pretend to eat soup.
une soupe	a soup	Pretend to eat soup.
faire les courses	to go grocery shopping	Pretend to push and fill a grocery cart.
d'abord	first	Hold out index finger.
des légumes	vegetables	Point to a picture of vegetables.
un supermarché	a supermarket	Say the name of a local supermarket.
moins	less	Trace a minus sign in the air with your finger.
beaucoup de	a lot of/many	Make an expansive gesture with your hands.
puis	then	With your palm up, make half a circle with one hand.
un marché	a market	Point to a picture of a market.
les marchands	the merchants	Pretend to display items for sale.
des kilos	kilograms	Write "lbs" on the board.

Situations

1. Jackie, une étudiante américaine, est à Marseille. Il fait très chaud aujourd'hui. Elle a très faim, alors elle va dans un restaurant. Le serveur arrive et donne le menu. Jackie **veut une bouillabaisse**. Le serveur donne la bouillabaisse. Jackie réalise que c'est **une soupe** chaude, mais elle a faim. Alors, elle veut manger la soupe.

   Elle commence à manger mais elle découvre un poisson. Elle dit au serveur: "Monsieur, il y a un poisson dans la soupe!" Le serveur dit: "C'est normal, c'est une soupe au poisson." Jackie dit: "Mais le poisson nage dans la soupe. Ça, ce n'est pas normal!"

2. Jackie a très, très faim **maintenant**, et il est déjà deux heures. Elle décide d'aller au **marché** et **faire les courses**. Elle ne veut pas de poisson. Elle veut juste **des légumes**, **beaucoup de** légumes. Maintenant elle est végétarienne.

3. Jackie arrive au marché. Elle trouve un **marchand** de légumes. Le marchand est sympa. Il dit: "Les légumes sont **moins** chers chez moi. Le **supermarché** vend de mauvais légumes." Jackie achète **d'abord** deux **kilos** de brocoli et **puis** une salade. Jackie explique pourquoi elle achète des légumes. Le marchand dit: "Mon frère travaille au restaurant. Je vais téléphoner à mon frère." Alors, le frère invite Jackie pour un grand dîner de gala!

Basic Story

Le marché à Marseille

Allison est une étudiante américaine. Elle vient de Pittsburgh. **Maintenant** elle est en France, à Marseille, pour deux mois. Elle est dans une famille française très sympa, les Prévert. Les Prévert vont inviter leurs amis pour demain, le quatorze juillet. Et Allison **veut** préparer **une bouillabaisse**. La bouillabaisse, c'est **une soupe** aux poissons. C'est délicieux!

Aujourd'hui Allison va **faire les courses** pour la bouillabaisse. Elle va **d'abord** acheter **des légumes** au **supermarché** parce que c'est **moins** cher. Elle achète **beaucoup de** légumes. **Puis** elle va au **marché** pour acheter du poisson. Le marché à Marseille, c'est intéressant et pittoresque. **Les marchands** parlent beaucoup et rapidement. Ils ont un accent. Allison arrive chez un marchand de poisson.

Le marchand dit: "Quels beaux poissons! Mademoiselle, qu'est-ce que vous voulez?" Allison répond: "Je voudrais du poisson pour faire une bouillabaisse." Le marchand demande: "Bon, Mademoiselle. Combien?" Allison répond: "Cinq **kilos**, s'il vous plaît." Le marchand dit: "Voilà. Ça fait 30 euros." Allison dit: "Merci, Monsieur. Au revoir."

Purpose: To use the vocabulary to tell a story.

1. Display the vocabulary list (page 57) in class. Students use the list as a reference.

2. Show illustrations (page 59), then tell the story. Have students follow along.

3. Pick student actors for the story.

4. Tell the story in an animated way. At the same time help student actors perform the story.

5. Ask **Yes/No Questions.**

   Allison est à Marseille dans une famille française? (oui)
   Allison et sa famille vont manger la bouillabaisse dans un restaurant? (non)
   Pour la bouillabaisse, Allison va acheter des fruits? (non)
   Elle achète du poisson au marché? (oui)
   Allison achète sept kilos de poisson? (non)

6. Ask **Comprehension Questions** about the story.

Qui va préparer la bouillabaisse pour des amis?	Allison va préparer la bouillabaisse pour des amis.
La bouillabaisse, qu'est-ce que c'est?	C'est une soupe aux poissons.
Où est-ce qu'Allison fait les courses?	Elle fait les courses au supermarché et au marché.
Pourquoi est-ce qu'Allison achète les légumes au supermarché?	C'est moins cher.
Comment parlent les marchands?	Ils parlent beaucoup, rapidement et avec un accent.

7. Read the **Changed Story** and have students correct it.

   Allison est une étudiante américaine. Elle vient de Pittsburgh. Maintenant elle est en France, à Marseille, pour deux mois. Elle est dans une famille française très sympa, les Prévert. Les Prévert vont inviter leurs amis pour demain, le quatorze juillet. Et Allison veut préparer une (1) <u>quiche</u>. La bouillabaisse, c'est une soupe aux (2) <u>légumes</u>. C'est délicieux!

   Aujourd'hui Allison va faire les courses pour la bouillabaisse. Elle va d'abord acheter des légumes au (3) <u>magasin</u> parce que c'est (4) <u>plus</u> cher. Elle achète (5) <u>peu</u> de légumes. Puis elle va au marché pour acheter du poisson. Le marché à Marseille, c'est intéressant et pittoresque. Les (6) <u>femmes au foyer</u> parlent beaucoup et rapidement. Ils ont un accent. Allison arrive chez un marchand de poisson.

   Le marchand dit: "Quels beaux poissons! Mademoiselle, qu'est-ce que vous voulez?" Allison répond: "Je voudrais du poisson pour faire une bouillabaisse." Le marchand demande: "Bon, Mademoiselle. Combien?" Allison répond: "Cinq (7) <u>poissons</u>, s'il vous plaît." Le marchand dit: "Voilà. Ça fait 30 euros." Allison dit: "Merci, Monsieur. Au revoir."

   Answer Key:
   (1) bouillabaisse (2) poissons (3) supermarché (4) moins (5) beaucoup (6) marchands (7) kilos

8. Collaborate with students in establishing a list of guide words. **Note:** Guide words are a brief list of difficult words or phrases that occur in the story. Display the guide words.

9. Have students practice with partners using only the story's illustrations (page 59) and the guide words (if needed).

10. Have volunteers tell the story to the class. Students may use illustrations and guide words, if necessary.

11. Assessment: Have students record the story on audiocassettes or any electronic media. Students may use only the illustrations. Guide words may be used by students who need more direction. Evaluate the recordings and include them in students' portfolios.

12. Collaborate with students in writing the story based on the illustrations. Write the story as students copy it.

13. Have partners invent a new story or alter the original story. Have them draw new or altered illustrations and then tell the story to the class.

Step 1	Gesturing New Vocabulary

Purpose: To introduce the new vocabulary.

1. Show the vocabulary list on the right, covering up the English and Gesture columns.

2. Introduce the first three words/ expressions.

3. Say the words one at a time and do the gestures.

4. Have students imitate the gestures silently.

5. Say the words and have students gesture with their eyes closed.

6. Test individual students randomly. Say a word and have students do the gesture. (If a word is not understood by several students, it must be included when teaching the following set of words.)

7. Do gestures and have students say the words.

8. Say the words and have students give the English equivalents.

9. Repeat this process (Steps 1-8) for the next set of three words until all of the vocabulary list is presented.

10. Ask questions and have students answer.

   Sample Questions:
   Quels légumes préfères-tu?
   Tu préfères les tomates en boîtes ou les tomates fraîches?
   Est-ce que tu aimes les oignons?
   Tu voudrais manger de la bouillabaisse?
   Qui prépare le repas du soir chez toi?

11. The following day review the vocabulary list using the above steps with increased speed.

12. You may also want to check students' comprehension by creating matching quizzes and fill-in-the-blank exercises.

Note: Some ways to invent gestures include referencing American Sign Language books, making them up or soliciting student input.

French	English	Gesture
le repas	meal	Say "Un steak-frites, une salade et un dessert."
ce soir	tonight	Indicate 8:00 to 12:00 on a clock and draw a moon.
trop de	too much/many	Put too many books in a backpack so that it overflows.
des crevettes	shrimp	Point to a picture of some shrimp.
des crabes	crabs	Point to a picture of some crabs.
des oignons	onions	Pretend to peel onions and cry.
des tomates	tomatoes	Point to a picture of some tomatoes.
des carottes	carrots	Point to a picture of some carrots.
des pommes de terre	potatoes	Point to a picture of some potatoes.
mûres	ripe	Show several brown bananas and make a face.
des boîtes	cans	Point to a picture of some cans.
assez de	enough	Hold hand out as if to say "Stop!"
(elle) attend	(she) waits	Point to a girl, cross your arms and tap your toe.
plus	more	Trace a plus sign in the air with your finger.

Additional Vocabulary

regarder, lancer, pense, met, tout, casserole, recette, petit ami, tard, livrez

Situations

1 Brian, un étudiant américain, va au marché aujourd'hui. Il veut acheter des légumes pour un **repas** avec ses amis Greg et Tim. **Ce soir** c'est l'anniversaire de Tim. Brian arrive au marché et commence à regarder les légumes chez un marchand. Le marchand s'appelle Henri. Alors, un autre marchand, Robert, commence à parler et critiquer Henri.

Robert dit: "Eh bien, Henri, tes légumes sont **plus** chers que mes légumes." Henri répond: "Ah, mon vieux, ce n'est pas vrai." Henri est furieux! Il commence à lancer **des tomates** et **des oignons**.

2 Brian est surpris. Il pense: "Je peux avoir des légumes pour ma soupe!" Alors, il met les oignons dans un sac. Les tomates sont trop **mûres** et le sac est tout rouge! Il dit: "Zut! J'ai besoin d'acheter **des boîtes** de tomate. **Assez d'**oignons! J'ai besoin de **pommes de terre** et de **carottes**." Il **attend** un peu et Robert lance les pommes de terre et Henri les carottes. Brian met les légumes dans son sac. Maintenant il a deux kilos de légumes. Brian pense: "Pas mal, le marché français!"

3 Brian a assez de légumes pour la soupe maintenant. Quelles autres choses peut-il acheter? Il va acheter du **crabe** et **des crevettes**. Le crabe et les crevettes, c'est bon et on peut faire une bonne soupe avec. Il va chez le marchand de poisson. Le marchand est très bavard. Il dit: "J'ai **trop de** crevettes!" Alors, le marchand donne les crevettes à Brian. Et Brian paie juste le crabe! Il pense: "Ce repas d'anniversaire, c'est bon marché! Je peux acheter un dessert maintenant!"

Advanced Story

Une bouillabaisse délicieuse

Aujourd'hui c'est le quatorze juillet. Allison prépare la bouillabaisse pour **le repas** de **ce soir** avec les Prévert et leurs amis. D'abord elle cherche une grande casserole parce qu'elle a **trop de** poisson. La recette dans le livre de Mme Prévert indique un kilo de poisson, 20 **crevettes** et deux **crabes**, mais Allison a acheté cinq kilos de poisson!

Puis elle prépare les légumes. Il y a **des oignons**, **des tomates**, **des carottes** et **des pommes de terre**. Mais il y a un problème avec les tomates. Elles sont trop **mûres**. Il fait trop chaud à Marseille au mois de juillet. Allison trouve trois **boîtes** de tomates, c'est **assez de** tomates. Maintenant **elle attend** un peu — la recette indique cinq minutes.

Dring, dring.... Oh, c'est le téléphone. Qui est-ce? C'est Vince, le petit ami d'Allison. Vince est à Pittsburgh. Oh, quelle bonne surprise! Allison adore parler au téléphone et en particulier avec Vince. Allison et Vince parlent et parlent. Trois heures **plus** tard, Allison réalise que les amis des Prévert arrivent dans dix minutes! Elle dit "au revoir" à Vince. Maintenant il y a un plus grand problème: la bouillabaisse est ruinée! Qu'est-ce qu'elle peut faire? Elle a juste dix minutes pour trouver une solution!

Elle téléphone au restaurant "Le Petit Marseillais." C'est un très bon restaurant à Marseille et ils font de la bouillabaisse. Le serveur dit: "Allô, restaurant Le Petit Marseillais. Vous désirez?" Allison répond: "Est-ce que vous livrez?" Le serveur répond: "Oui... qu'est-ce que vous voulez?" Allison répond: "Une bouillabaisse pour huit personnes." Le serveur dit: "Pas de problème." Allison dit: "Je suis au 27 boulevard Chopin." Le serveur dit: "Très bien. Nous arrivons dans dix minutes."

Au repas les Prévert et leurs amis complimentent Allison. On dit: "Allison, tu es une vraie Marseillaise. Ta bouillabaisse est délicieuse!"

Une bouillabaisse délicieuse

Purpose: To use the vocabulary to tell a story.

1. Display the vocabulary list (page 61) in class. Students use the list as a reference.

2. Show illustrations (page 63), then tell the story. Have students follow along.

3. Pick student actors for the story.

4. Tell the story in an animated way. At the same time help student actors perform the story.

5. Ask **Yes/No Questions**.

> Mme Prévert prépare le repas pour ses amis? (non)
> Allison a assez de poisson? (oui)
> Est-ce que les tomates sont mûres? (oui)
> C'est la mère d'Allison qui téléphone? (non)
> Est-ce qu'Allison et Vince parlent trois heures? (oui)

6. Ask **Comprehension Questions** about the story.

> Combien de crabes y a-t-il dans la bouillabaisse? Il y a deux crabes dans la bouillabaisse.
> Pourquoi y a-t-il trop de poisson? Allison a acheté cinq kilos de poisson.
> Qui est Vince? Vince est le petit ami d'Allison.
> Qui prépare la bouillabaisse pour Allison? Le restaurant "Le Petit Marseillais" prépare la bouillabaisse pour Allison.
> Pourquoi est-ce que tout le monde complimente Allison? La bouillabaisse est délicieuse.

7. Read the **Changed Story** and have students correct it.

> Aujourd'hui c'est le quatorze juillet. Allison prépare la bouillabaisse pour le repas de ce soir avec les Prévert et leurs amis. D'abord elle cherche une grande casserole parce qu'elle a trop de (1) <u>légumes</u>. La recette dans le livre de Mme Prévert indique un kilo de poisson, 20 crevettes et deux crabes, mais Allison a acheté cinq (2) <u>boîtes</u> de poisson!
>
> Puis elle prépare les légumes. Il y a des oignons, des tomates, des carottes et des (3) <u>oranges</u>. Mais il y a un problème avec les tomates. Elles sont trop mûres. Il fait trop (4) <u>froid</u> à Marseille au mois de juillet. Allison trouve trois boîtes de tomates, c'est assez de tomates. Maintenant elle attend un peu — la recette indique cinq minutes.
>
> Dring, dring.... Oh, c'est le téléphone. Qui est-ce? C'est Vince, le (5) <u>frère</u> d'Allison. Vince est à Pittsburgh. Oh, quelle bonne surprise! Allison adore parler au téléphone et en particulier avec Vince. Allison et Vince parlent et parlent. Trois (6) <u>minutes</u> plus tard, Allison réalise que les amis des Prévert arrivent dans dix minutes! Elle dit "au revoir" à Vince. Maintenant il y a un plus grand problème: la bouillabaisse est ruinée! Qu'est-ce qu'elle peut faire? Elle a juste dix minutes pour trouver une solution!
>
> Elle téléphone au (7) <u>supermarché</u> "Le Petit Marseillais." C'est un très bon restaurant à Marseille et ils font de la bouillabaisse. Le serveur dit: "Allô, restaurant Le Petit Marseillais. Vous désirez?" Allison répond: "Est-ce que vous livrez?" Le serveur répond: "Oui... qu'est-ce que vous voulez?" Allison répond: "Une bouillabaisse pour huit personnes." Le serveur dit: "Pas de problème." Allison dit: "Je suis au 27 boulevard Chopin." Le serveur dit: "Très bien. Nous arrivons dans dix minutes."
>
> Au repas les Prévert et leurs amis complimentent Allison. On dit: "Allison, tu es une vraie Marseillaise. Ta bouillabaisse est délicieuse!"

> **Answer Key:**
> (1) poisson (2) kilos (3) pommes de terre (4) chaud (5) petit ami (6) heures (7) restaurant

8. Collaborate with students in establishing a list of guide words. **Note:** Guide words are a brief list of difficult words or phrases that occur in the story. Display the guide words.

9. Have students practice with partners using only the story's illustrations (page 63) and the guide words (if needed).

10. Have volunteers tell the story to the class. Students may use illustrations and guide words, if necessary.

11. Assessment: Have students record the story on audiocassettes or any electronic media. Students may use only the illustrations. Guide words may be used by students who need more direction. Evaluate the recordings and include them in students' portfolios.

12. Collaborate with students in writing the story based on the illustrations. Write the story as students copy it.

13. Have partners invent a new story or alter the original story. Have them draw new or altered illustrations and then tell the story to the class.

Step 1 | Gesturing New Vocabulary

Purpose: To introduce the new vocabulary.

1. Show the vocabulary list on the right, covering up the English and Gesture columns.

2. Introduce the first three words/ expressions.

3. Say the words one at a time and do the gestures.

4. Have students imitate the gestures silently.

5. Say the words and have students gesture with their eyes closed.

6. Test individual students randomly. Say a word and have students do the gesture. (If a word is not understood by several students, it must be included when teaching the following set of words.)

7. Do gestures and have students say the words.

8. Say the words and have students give the English equivalents.

9. Repeat this process (Steps 1-8) for the next set of three words until all of the vocabulary list is presented.

10. Ask questions and have students answer.

Sample Questions:
   Est-ce que tu habites dans une maison ou un appartement?
   À quelle heure tu prends ton petit déjeuner?
   Est-ce que tu as besoin d'une fourchette pour manger de la pizza?
   Est-ce que tu as une voiture?
   Qui est à gauche de (name of a student)?

11. The following day review the vocabulary list using the above steps with increased speed.

12. You may also want to check students' comprehension by creating matching quizzes and fill-in-the-blank exercises.

Note: Some ways to invent gestures include referencing American Sign Language books, making them up or soliciting student input.

French	English	Gesture
(la famille) habite	(the family) lives	Trace a house in the air and say a street name.
un appartement	an apartment	Point to a picture of an apartment.
le rez-de-chaussée	the ground floor	Keep your left hand flat and place your right hand over your left hand.
le petit déjeuner	breakfast	Say "Croissant, jus d'orange, café."
prends	take	Grab an imaginary object.
les fourchettes	the forks	Point to several forks.
les couteaux	the knives	Point to several knives.
les verres	the glasses	Point to several glasses.
les assiettes	the plates	Point to several plates.
le garage	the garage	Point to a picture of a garage.
la voiture	the car	Pretend to drive a car.
à gauche	to the left	Point to your left.
un arbre	a tree	Point to a tree.
(ils) mettent	(they) set	Pretend to set the table.
un frigo	a refrigerator	Point to a picture of a refrigerator.
la maison	the house	Trace a house in the air.
le balcon	the balcony	Pretend to lean over a balcony.

Note: The teacher may want to prepare a sheet with illustrations of most of the words in this list and pass it out to students. Then they could point to the appropriate illustrations when practicing the new vocabulary. (The teacher may also want to put these illustrations on a transparency.)

Situations

1 Aujourd'hui Marie-Alix et Bruno Dumas vont chez Grand-père Gustave. C'est l'anniversaire de Grand-père. Il **habite** avec Grand-mère Marthe dans **un appartement**. L'appartement est très grand. Il est au **rez-de-chaussée**. C'est pratique pour Grand-mère et Grand-père. Ils ont plus de 90 ans, mais Grand-père est très sportif. Il aime nager et faire du vélo.

2 Marie-Alix, Bruno et leurs parents sont maintenant à **la maison** de Grand-père Gustave. Les enfants **mettent** la table et les parents préparent le repas. Jacques et Hélène sont les cousins de Bruno et Marie-Alix. Jacques met **les fourchettes**, Hélène met **les couteaux**, Marie-Alix met **les verres** et Bruno met **les assiettes**. Tante Lucie arrive et dit à Marie-Alix: "Ce sont les verres à jus d'orange pour **le petit déjeuner**!"

3 Jacques demande: "On joue au foot?" Bruno répond: "Oui, mais il y a la table ici. Allons dans **le garage**!" Les deux cousins arrivent dans le garage. Ils trouvent une Ferrari rouge. Marie-Alix et Hélène arrivent et remarquent: "Cette **voiture**, c'est le cadeau de Grand-père Gustave." C'est une voiture très chère avec **un frigo**. Les enfants sont curieux et décident de **prendre** la voiture pour cinq minutes. Bruno est le pilote. Il aime beaucoup les voitures de sport. Oh là là! Quelle voiture rapide!

4 Les adultes sont sur **le balcon**. Il fait très beau aujourd'hui. La mère de Marie-Alix et Bruno crie: "Ohhhh, la Ferrari!" Screeeech! La voiture stoppe dans **un** grand **arbre à gauche** du garage. Quelle catastrophe! Le cadeau de Grand-père est ruiné! Tante Lucie dit: "Bon anniversaire, Grand-père!" Les enfants sortent de la voiture. On dit: "Grand-père, on va réparer la voiture cet été. C'est notre cadeau d'anniversaire!"

Basic Story

Un pique-nique

La famille Pollet **habite** dans **un appartement** au **rez-de-chaussée**. Il est huit heures et demie et la famille finit **le petit déjeuner**. Aujourd'hui, c'est le 15 août et les Pollet sont en vacances. M. Pollet dit: "À la radio ils annoncent qu'il va faire beau et chaud. Qu'est-ce qu'on va faire?" Gérald répond: "Allons au cinéma! Il y a un bon film avec (*name of famous actor*). Mme Pollet dit: "Oh non! J'ai une idée! Faisons un pique-nique!" M. Pollet dit: "Ouais! Quelle bonne idée!" Mme Pollet dit: "Bon alors, Carole, **prends les fourchettes** et **les couteaux**! Gérald, prends **les verres** et **les assiettes**." M. Pollet dit: "Moi, je vais chercher la table et les chaises de camping. C'est plus confortable." Mme Pollet dit: "Et moi, je fais les sandwichs, je prends les fruits et les boissons."

En 20 minutes la famille est dans **le garage**. Tout le monde va dans **la voiture**. À une heure et demie ils arrivent au parc. Aujourd'hui tout le monde veut faire un pique-nique. Il y a trop de visiteurs au parc. M. Pollet trouve difficilement une place pour la voiture, **à gauche** d'**un** grand **arbre**. Ils ont faim maintenant. Alors, **ils mettent** la table et commencent à manger. Les sandwichs ne sont pas très bons parce qu'il n'y a pas de **frigo** dans la voiture. Les boissons ne sont pas très fraîches et il fait très chaud. Tout le monde est un peu irrité.

Mme Pollet dit: "C'est assez! Allons à **la maison**!" Alors, tout le monde va en voiture et à quatre heures ils arrivent à l'appartement. Ils finissent le pique-nique sur **le balcon** et puis ils vont au cinéma.

Un pique-nique

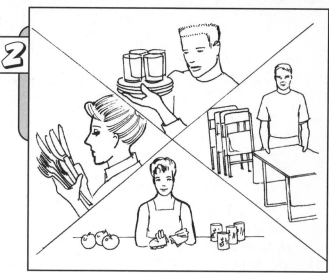

Purpose: To use the vocabulary to tell a story.

1. Display the vocabulary list (page 65) in class. Students use the list as a reference.

2. Show illustrations (page 67), then tell the story. Have students follow along.

3. Pick student actors for the story.

4. Tell the story in an animated way. At the same time help student actors perform the story.

5. Ask **Yes/No Questions**.

   La famille finit le petit déjeuner? (oui)
   M. Pollet veut aller au cinéma? (non)
   Carole prend le frigo? (non)
   La famille arrive au parc en 20 minutes? (non)
   On décide de retourner à la maison? (oui)

6. Ask **Comprehension Questions** about the story.

Où habite la famille Pollet?	La famille Pollet habite dans un appartement.
Qu'est-ce que la famille va faire?	La famille va faire un pique-nique.
Qu'est-ce que Gérald prend?	Il prend les assiettes et les verres.
Pourquoi est-ce que les sandwichs ne sont pas très bons?	Il n'y a pas de frigo.
Où est-ce que la famille finit le pique-nique?	La famille finit le pique-nique sur le balcon.

7. Read the **Changed Story** and have students correct it.

   La famille Pollet habite dans un appartement au (1) <u>garage</u>. Il est huit heures et demie et la famille finit le (2) <u>dîner</u>. Aujourd'hui, c'est le 15 août et les Pollet sont en vacances. M. Pollet dit: "À la radio ils annoncent qu'il va faire beau et chaud. Qu'est-ce qu'on va faire?" Gérald répond: "Allons au cinéma! Il y a un bon film avec (*name of famous actor*). Mme Pollet dit: "Oh non! J'ai une idée! Faisons un pique-nique!" M. Pollet dit: "Ouais! Quelle bonne idée!" Mme Pollet dit: "Bon alors, Carole, prends les fourchettes et les (3) <u>kilos</u>! Gérald, prends les verres et les assiettes." M. Pollet dit: "Moi, je vais chercher la table et les chaises de camping. C'est plus confortable." Mme Pollet dit: "Et moi, je fais les sandwichs, je prends les fruits et les (4) <u>oignons</u>."

   En 20 minutes la famille est dans le garage. Tout le monde va dans la voiture. À une heure et demie ils arrivent au (5) <u>restaurant</u>. Aujourd'hui tout le monde veut faire un pique-nique. Il y a trop de visiteurs au parc. M. Pollet trouve difficilement une place pour la voiture, (6) <u>dans</u> un grand arbre. Ils ont faim maintenant. Alors, ils mettent la table et commencent à (7) <u>attendre</u>. Les sandwichs ne sont pas très bons parce qu'il n'y a pas de frigo dans la voiture. Les boissons ne sont pas très fraîches et il fait très chaud. Tout le monde est un peu irrité.

   Mme Pollet dit: "C'est assez! Allons à la maison!" Alors, tout le monde va en voiture et à quatre heures ils arrivent à l'appartement. Ils finissent le pique-nique sur le balcon et puis ils vont au cinéma.

   Answer Key:
   (1) rez-de-chaussée (2) petit déjeuner (3) couteaux (4) boissons (5) parc (6) à gauche d' (7) manger

8. Collaborate with students in establishing a list of guide words. **Note:** Guide words are a brief list of difficult words or phrases that occur in the story. Display the guide words.

9. Have students practice with partners using only the story's illustrations (page 67) and the guide words (if needed).

10. Have volunteers tell the story to the class. Students may use illustrations and guide words, if necessary.

11. Assessment: Have students record the story on audiocassettes or any electronic media. Students may use only the illustrations. Guide words may be used by students who need more direction. Evaluate the recordings and include them in students' portfolios.

12. Collaborate with students in writing the story based on the illustrations. Write the story as students copy it.

13. Have partners invent a new story or alter the original story. Have them draw new or altered illustrations and then tell the story to the class.

	French	English	Gesture

Step 1 — Gesturing New Vocabulary

Purpose: To introduce the new vocabulary.

1. Show the vocabulary list on the right, covering up the English and Gesture columns.

2. Introduce the first three words/expressions.

3. Say the words one at a time and do the gestures.

4. Have students imitate the gestures silently.

5. Say the words and have students gesture with their eyes closed.

6. Test individual students randomly. Say a word and have students do the gesture. (If a word is not understood by several students, it must be included when teaching the following set of words.)

7. Do gestures and have students say the words.

8. Say the words and have students give the English equivalents.

9. Repeat this process (Steps 1-8) for the next set of three words until all of the vocabulary list is presented.

10. Ask questions and have students answer.

   Sample Questions:
   Il y a combien d'étages dans ta maison?
   Où est-ce que ta famille mange chez toi?
   Où est-ce que tu regardes la télé chez toi?
   Qu'est-ce que tu as dans ta chambre?
   Est-ce que tu es toujours gentil(le) avec tes amis?

11. The following day review the vocabulary list using the above steps with increased speed.

12. You may also want to check students' comprehension by creating matching quizzes and fill-in-the-blank exercises.

French	English	Gesture
du couscous	couscous	Imagine your left hand is a plate and eat from it with your right thumb and index finger.
Bienvenue!	Welcome!	Open your arms invitingly.
Entrez!	Come in!	Open the door.
un étage	a floor/story	Point to a picture of a floor of a building.
une cuisine	a kitchen	Point to a picture of a kitchen.
un four	an oven	Point to a picture of an oven.
une salle à manger	a dining room	Point to a picture of a dining room.
un séjour	a family room	Point to a picture of a family room.
un canapé	a couch/sofa	Point to a picture of a couch.
un fauteuil	an armchair	Point to a picture of an armchair.
une salle de bains	a bathroom	Point to a picture of a bathroom.
une chambre	a bedroom	Point to a picture of a bedroom.
gentil	nice	Smile and look friendly.

Additional Vocabulary

primaire, explique, poupée, s'assied, plus tard, se lève, regarde(nt), palais, Maroc, privé, à vous, propriétaire, sans

Note: Some ways to invent gestures include referencing American Sign Language books, making them up or soliciting student input.

Situations

1 On est à l'école primaire. Deux amies, Vanessa et Armelle, parlent. Vanessa demande: "Alors, ta nouvelle maison est grande?" Armelle répond: "Oh oui. Il y a **une salle à manger**, **un séjour**, **une salle de bains**...." Vanessa est impressionnée et dit: "Mais combien il y a d'**étages**?" Armelle explique: "Il y a juste un étage." Vanesse demande: "C'est cher?" Armelle répond: "Non, la maison coûte 100 euros."

Une autre amie, Magali, arrive. Magali demande: "Quoi? Une nouvelle maison 100 euros?" Armelle explique: "Ben oui. C'est une maison de poupée!"

2 Ce soir, c'est "Prom Night." Trevor va chez Alexa. La mère d'Alexa dit: "Bonsoir! Vous êtes Trevor? **Bienvenue**!" Trevor répond timidement: "Oui. Est-ce qu'Alexa est là?" La mère répond: "Oui, elle est dans sa **chambre**. **Entrez**. Alexa... c'est Trevor! Je vais faire les courses maintenant. Vous pouvez attendre ici sur le **canapé**." Trevor dit: "Merci, Madame. C'est **gentil**. Au revoir." Mais Trevor s'assied sur le **fauteuil**. Dix minutes plus tard Alexa arrive et Trevor se lève. Alexa dit: "Salut! Oh Trevor! C'est le fauteuil de notre chat angora blanc! Regarde ton costume! Quelle catastrophe!"

3 Deux amies, Amélie et Camille, regardent un catalogue de vêtements de (*name of famous fashion designer*) dans le séjour. Elles parlent beaucoup. Amélie a faim et dit: "Allons dans la **cuisine**! Nous avons **du couscous** et nous pouvons préparer un gâteau. Prends le catalogue avec toi, Camille!" Amélie met le gâteau au **four**. Les deux filles sont très bavardes et ne font pas attention à l'heure. Oh là là! Deux heures plus tard elles réalisent que le gâteau est dans le four!

Advanced Story

Un palais au Maroc

Un millionnaire de l'informatique, (*name of a famous computer millionaire*), voudrait acheter une grande maison. Il cherche sur Internet et trouve une offre intéressante. C'est un palais au Maroc. Pourquoi pas? Il fait beau au Maroc et on peut manger **du couscous**. Le millionnaire adore le couscous.

Le millionnaire prend son jet privé et va au Maroc. Il arrive à l'agence. L'agent dit: "Bonjour! **Bienvenue** au Maroc! **Entrez**, Monsieur...?" Le millionnaire répond: "Monsieur Smith." L'agent questionne le millionnaire: "Alors, ce palais vous intéresse? J'ai des photos." Le millionnaire répond: "Bon, mais j'ai juste une heure." L'agent montre les photos et il fait la description du palais. Il dit: "C'est un palais de quatre **étages**. Il y a quatre **cuisines**, avec **four** et frigo, quatre **salles à manger**, avec tables et chaises, quatre **séjours**, avec **canapés** et **fauteuils**, dix **salles de bains** et dix **chambres**." Le millionnaire dit: "Super! Je peux avoir des amis pour un weekend. Combien est-ce que ça coûte?" L'agent répond: "Ce n'est pas cher. Il coûte 100 000 dollars." Le millionnaire demande: "Pourquoi est-ce bon marché? Il y a un problème?" L'agent répond: "Oh non. Vous avez un jet, n'est-ce pas?" Le millionnaire répond: "Oui, pourquoi?" L'agent explique: "Le palais est dans le désert. L'accès est un peu difficile." Le millionnaire dit: "Tant mieux!" L'agent dit: "Et les lampes et les armoires sont à vous." Le millionnaire dit: "Que vous êtes **gentil**! J'achète." Le millionnaire fait un chèque et dit: "Au revoir."

L'agent téléphone au propriétaire du palais et dit: "J'ai un client pour le palais. Cent mille dollars pour un palais sans air conditionné, c'est pas mal."

Le millionnaire téléphone à sa femme et dit: "Nous avons un palais au Maroc. Là-bas, je suis incognito et le palais coûte 100 000 dollars. Pas mal, non?"

Purpose: To use the vocabulary to tell a story.

1. Display the vocabulary list (page 69) in class. Students use the list as a reference.

2. Show illustrations (page 71), then tell the story. Have students follow along.

3. Pick student actors for the story.

4. Tell the story in an animated way. At the same time help student actors perform the story.

5. Ask **Yes/No Questions**.

> Le millionnaire cherche un appartement? (non)
> Le millionnaire va en voiture au Maroc? (non)
> Le palais au Maroc a dix étages? (non)
> Il y a quatre salles de bains? (non)
> Le palais coûte cher? (non)

6. Ask **Comprehension Questions** about the story.

Qu'est-ce qu'on mange souvent au Maroc?	On mange souvent du couscous.
Où sont les canapés?	Les canapés sont dans les séjours.
Combien coûte le palais?	Le palais coûte 100 000 dollars.
Le palais, pourquoi est-ce bon marché?	Il est dans le désert et il n'y a pas d'air conditionné.
Pourquoi est-ce que l'agent est gentil?	Il donne les lampes et les armoires au millionnaire.

7. Read the **Changed Story** and have students correct it.

Un millionnaire de l'informatique, (*name of a famous computer millionaire*), voudrait acheter une grande maison. Il cherche sur Internet et trouve une offre intéressante. C'est un palais au Maroc. Pourquoi pas? Il fait beau au Maroc et on peut manger (1) <u>de la bouillabaisse</u>. Le millionnaire adore le couscous.

Le millionnaire prend son jet privé et va au Maroc. Il arrive à l'agence. L'agent dit: "Bonjour! Bienvenue au Maroc! (2) <u>Attendez</u>, Monsieur...?" Le millionnaire répond: "Monsieur Smith." L'agent questionne le millionnaire: "Alors, ce palais vous intéresse? J'ai des (3) <u>disquettes</u>." Le millionnaire répond: "Bon, mais j'ai juste une heure." L'agent montre les photos et il fait la description du palais. Il dit: "C'est un palais de quatre étages. Il y a quatre cuisines, avec four et frigo, quatre (4) <u>balcons</u>, avec tables et chaises, quatre séjours, avec canapés et fauteuils, dix salles de bains et dix chambres." Le millionnaire dit: "Super! Je peux avoir des amis pour un weekend. Combien est-ce que ça coûte?" L'agent répond: "Ce n'est pas cher. Il coûte 100 000 dollars." Le millionnaire demande: "Pourquoi est-ce (5) <u>cher</u>? Il y a un problème?" L'agent répond: "Oh non. Vous avez un jet, n'est-ce pas?" Le millionnaire répond: "Oui, pourquoi?" L'agent explique: "Le palais est dans le désert. L'accès est un peu difficile." Le millionnaire dit: "(6) <u>Beurk</u>!" L'agent dit: "Et les lampes et les armoires sont à vous." Le millionnaire dit: "Que vous êtes (7) <u>bavard</u>! J'achète." Le millionnaire fait un chèque et dit: "Au revoir."

L'agent téléphone au propriétaire du palais et dit: "J'ai un client pour le palais. Cent mille dollars pour un palais sans air conditionné, c'est pas mal."

Le millionnaire téléphone à sa femme et dit: "Nous avons un palais au Maroc. Là-bas, je suis incognito et le palais coûte 100 000 dollars. Pas mal, non?"

Answer Key:
(1) du couscous (2) Entrez (3) photos (4) salles à manger (5) bon marché (6) Tant mieux (7) gentil

8. Collaborate with students in establishing a list of guide words. **Note:** Guide words are a brief list of difficult words or phrases that occur in the story. Display the guide words.

9. Have students practice with partners using only the story's illustrations (page 71) and the guide words (if needed).

10. Have volunteers tell the story to the class. Students may use illustrations and guide words, if necessary.

11. Assessment: Have students record the story on audiocassettes or any electronic media. Students may use only the illustrations. Guide words may be used by students who need more direction. Evaluate the recordings and include them in students' portfolios.

12. Collaborate with students in writing the story based on the illustrations. Write the story as students copy it.

13. Have partners invent a new story or alter the original story. Have them draw new or altered illustrations and then tell the story to the class.

Step 1 | Gesturing New Vocabulary

Purpose: To introduce the new vocabulary.

1. Show the vocabulary list on the right, covering up the English and Gesture columns.

2. Introduce the first three words/ expressions.

3. Say the words one at a time and do the gestures.

4. Have students imitate the gestures silently.

5. Say the words and have students gesture with their eyes closed.

6. Test individual students randomly. Say a word and have students do the gesture. (If a word is not understood by several students, it must be included when teaching the following set of words.)

7. Do gestures and have students say the words.

8. Say the words and have students give the English equivalents.

9. Repeat this process (Steps 1-8) for the next set of three words until all of the vocabulary list is presented.

10. Ask questions and have students answer.

   Sample Questions:
   Tu as combien d'oreilles?
   Quand tu as mal aux dents, qu'est-ce que tu fais?
   Quand as-tu des frissons?
   Tu as peur des films d'horreur?
   Qu'est-ce que tu cries quand tu es en danger?

11. The following day review the vocabulary list using the above steps with increased speed.

12. You may also want to check students' comprehension by creating matching quizzes and fill-in-the-blank exercises.

Note: Some ways to invent gestures include referencing American Sign Language books, making them up or soliciting student input.

French	English	Gesture
une tête	a head	Point to your head.
le nez	the nose	Point to your nose.
la bouche	the mouth	Point to your mouth.
les dents	the teeth	Point to your teeth.
les oreilles	the ears	Point to your ears.
Au secours!	Help!	Scream and wave your arms as if you're drowning.
Qu'est-ce que tu as?	What's the matter with you?	Point to someone, shrug your shoulders and look questioningly.
(elle) a peur	(she) is afraid	Point to a girl, open your eyes wide and look scared.
des frissons	chills	Pretend to be shivering.
Reste!	Stay!	Emphatically point to the floor.

Situations

1 Stéphanie a cinq ans. Aujourd'hui elle est chez sa tante. Sa tante est une millionnaire et elle a un lac. Stéphanie joue avec une balle de tennis. La balle va dans l'eau. Stéphanie va dans l'eau, mais elle ne peut pas nager. Alors elle **a peur**. Elle crie: "**Au secours**!" Aussitôt que sa tante réalise que Stéphanie est en danger, elle va dans l'eau et sauve Stéphanie. Stéphanie a **des frissons** parce que l'eau est très froide dans le lac. Maintenant Stéphanie va **rester** au lit.

2 (*Name of famous fashion model*) est à la maison. Elle reste à la maison parce qu'elle vient de l'hôpital. Maintenant elle a **une** nouvelle **tête**: un **nez**, des yeux bleus, une grande **bouche** et de belles **dents** blanches. Une nouvelle tête, ça coûte cher, mais c'est si beau! Elle a faim, alors elle téléphone au restaurant et dit: "Je voudrais une pizza, s'il vous plaît."

En 30 minutes le garçon avec la pizza arrive chez (*name of famous fashion model*). Oh non! Il y a toujours des bandages sur sa nouvelle tête! Zut! Le garçon donne la pizza et demande: "Où est (*name of famous fashion model*)?" (*Name of famous fashion model*) répond: "Ma cousine? Elle est à Hawaii!"

3 Le professeur parle des éléphants aujourd'hui — des éléphants d'Afrique et des éléphants d'Asie. Quelle est la différence? C'est très facile. Les éléphants d'Afrique ont de grandes **oreilles** et les éléphants d'Asie ont de petites oreilles. Francis va à la fenêtre. Le professeur dit: "Mais **qu'est-ce que tu as**, Francis?" Francis répond: "Il y a des éléphants à l'école!" Le professeur regarde aussi et dit: "Mais oui. Le cirque arrive aujourd'hui!"

Basic Story

Qui a peur du monstre?

Les élèves de français préparent des projets pour le Carnaval. Le thème est "fruits et légumes." Denis et Fabrice doivent donner leur projet demain. Qu'est-ce qu'ils peuvent faire? Il faut travailler ce soir chez Denis. Ils décident de faire **une tête** de monstre avec des fruits et des légumes. Le père de Denis est marchand de fruits et légumes, alors il doit avoir des fruits et légumes à la maison.

Les garçons vont dans la cuisine et prennent des fruits et légumes et vont travailler dans le garage. C'est plus facile parce que la cuisine est très petite chez Denis. Ils mettent les fruits et légumes sur une table et commencent à travailler. D'abord, ils prennent la pastèque pour faire la tête. Puis pour les yeux ils prennent deux cerises, pour **le nez** ils prennent une petite carotte, pour **la bouche** ils mettent une banane, et pour **les dents** ils mettent des raisins. Pour **les oreilles** ils prennent des tranches de pêche. Pour finir ils vont prendre des haricots verts pour faire les cheveux. Mais il n'y a pas assez de haricots verts, alors ils vont dans la cuisine et cherchent une boîte de haricots verts. La tête de monstre est dans le garage et il est déjà huit heures.

Céline, la petite sœur de Denis, entre dans le garage. Elle crie: "**Au secours**!" Denis et Fabrice sortent de la cuisine et demandent à Céline: "**Qu'est-ce que tu as**? Après quelques secondes, ils réalisent que Céline **a peur** de leur monstre. La petite Céline a **des frissons**. Denis dit: "Regarde, c'est un projet pour notre classe de français. **Reste** avec nous! Tu veux mettre des haricots verts sur sa tête?"

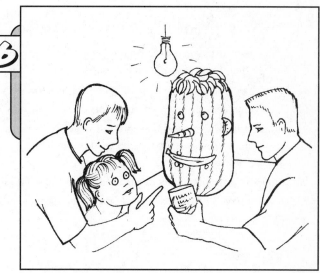

Purpose: To use the vocabulary to tell a story.

1. Display the vocabulary list (page 73) in class. Students use the list as a reference.

2. Show illustrations (page 75), then tell the story. Have students follow along.

3. Pick student actors for the story.

4. Tell the story in an animated way. At the same time help student actors perform the story.

5. Ask **Yes/No Questions.**

   Le projet de Denis et Fabrice est pour le cours de sciences? (non)
   Le père de Denis vend des fruits et légumes? (oui)
   Les garçons travaillent dans le garage? (oui)
   Pour les oreilles ils mettent des oignons? (non)
   Il y a assez de haricots verts pour les cheveux? (non)

6. Ask **Comprehension Questions** about the story.

Qu'est-ce que les garçons décident de faire pour le Carnaval?	Ils décident de faire une tête de monstre avec des fruits et légumes.
Quand est-ce que les garçons font le projet?	Ils font le projet ce soir.
Pourquoi est-ce qu'il y a des fruits et légumes chez Denis?	Son père est marchand de fruits et légumes.
Qu'est-ce qu'ils prennent pour faire la tête?	Ils prennent une pastèque.
Qui a peur du monstre?	La petite sœur de Denis a peur du monstre.

7. Read the **Changed Story** and have students correct it.

   Les élèves de français préparent des projets pour le Carnaval. Le thème est "fruits et légumes." Denis et Fabrice doivent donner leur projet demain. Qu'est-ce qu'ils peuvent faire? Il faut travailler ce soir chez Denis. Ils décident de faire (1) <u>un corps</u> de monstre avec des (2) <u>assiettes</u> et des légumes. Le père de Denis est marchand de fruits et légumes, alors il doit avoir des fruits et légumes à la maison.

   Les garçons vont dans la cuisine et prennent des fruits et légumes et vont travailler dans le (3) <u>séjour</u>. C'est plus facile parce que la cuisine est très petite chez Denis. Ils mettent les fruits et légumes sur une table et commencent à travailler. D'abord, ils prennent la (4) <u>banane</u> pour faire la tête. Puis pour les yeux ils prennent deux cerises, pour (5) <u>la main</u> ils prennent une petite carotte, pour la bouche ils mettent une banane, et pour les dents ils mettent des raisins. Pour les oreilles ils prennent des tranches de pêche. Pour finir ils vont prendre des haricots verts pour faire les cheveux. Mais il n'y a pas assez de haricots verts, alors ils vont dans la cuisine et cherchent une boîte de haricots verts. La tête de monstre est dans le garage et il est déjà huit heures.

   Céline, la petite sœur de Denis, entre dans le garage. Elle crie: "(6) <u>Entrez</u>!" Denis et Fabrice sortent de la cuisine et demandent à Céline: "Qu'est-ce que tu as? Après quelques secondes, ils réalisent que Céline a peur de leur monstre. La petite Céline a (7) <u>la grippe</u>. Denis dit: "Regarde, c'est un projet pour notre classe de français. Reste avec nous! Tu veux mettre des haricots verts sur sa tête?"

   Answer Key:
   (1) une tête (2) fruits (3) garage (4) pastèque (5) le nez (6) Au secours (7) des frissons

8. Collaborate with students in establishing a list of guide words. **Note:** Guide words are a brief list of difficult words or phrases that occur in the story. Display the guide words.

9. Have students practice with partners using only the story's illustrations (page 75) and the guide words (if needed).

10. Have volunteers tell the story to the class. Students may use illustrations and guide words, if necessary.

11. Assessment: Have students record the story on audiocassettes or any electronic media. Students may use only the illustrations. Guide words may be used by students who need more direction. Evaluate the recordings and include them in students' portfolios.

12. Collaborate with students in writing the story based on the illustrations. Write the story as students copy it.

13. Have partners invent a new story or alter the original story. Have them draw new or altered illustrations and then tell the story to the class.

Advanced Story

	French	English	Gesture

Step 1 — Gesturing New Vocabulary

Purpose: To introduce the new vocabulary.

1. Show the vocabulary list on the right, covering up the English and Gesture columns.

2. Introduce the first three words/ expressions.

3. Say the words one at a time and do the gestures.

4. Have students imitate the gestures silently.

5. Say the words and have students gesture with their eyes closed.

6. Test individual students randomly. Say a word and have students do the gesture. (If a word is not understood by several students, it must be included when teaching the following set of words.)

7. Do gestures and have students say the words.

8. Say the words and have students give the English equivalents.

9. Repeat this process (Steps 1-8) for the next set of three words until all of the vocabulary list is presented.

10. Ask questions and have students answer.

   Sample Questions:
   Comment s'appelle ton docteur?
   Est-ce que tu es souvent malade?
   Es-tu en bonne forme aujourd'hui?
   Est-ce que tu as mal au genou?
   Tu aimes jouer au foot?

11. The following day review the vocabulary list using the above steps with increased speed.

12. You may also want to check students' comprehension by creating matching quizzes and fill-in-the-blank exercises.

French	English	Gesture
un cabinet	an office (doctor/dentist)	Trace a building in the air and pretend to work at a desk.
le docteur	doctor	Pretend to take someone's pulse.
ne (n')... jamais	never	Make an emphatic, sweeping gesture with your hand held horizontally.
malade	sick	Look sick and cough.
en bonne forme	in good shape	Look fit and flex your muscles.
prendre rendez-vous	to make an appointment	Write "Jeudi, à 4h00."
l'après-midi	afternoon	Indicate 12:00 to 6:00 on a clock and draw a sun.
la fièvre	fever	Feel your forehead and pretend to take your temperature.
(j')ai mal...	(I) hurt/(I) have a sore...	Say "Aie!"
une main	a hand	Point to your hand.
ne (n')... rien	nothing	Form a "0" with your fingers.
une épaule	a shoulder	Point to your shoulder.
un genou	a knee	Point to your knee.
il faut	you must	Shake your index finger as in a warning.
quelqu'un	someone	Point to various students.

Additional Vocabulary
désolée, explique, faire le chauffeur, protéger, remplacer

Note: Some ways to invent gestures include referencing American Sign Language books, making them up or soliciting student input.

Situations

1 Christelle est **malade** aujourd'hui. Elle a de **la fièvre**. Elle ne peut pas aller travailler, alors elle téléphone au **cabinet** de M. Ourdas. Elle va **prendre rendez-vous** pour aujourd'hui. La secrétaire est très sympa et propose un rendez-vous à deux heures cet **après-midi**. Mais Christelle ne peut pas parce qu'elle doit aller chez le coiffeur à deux heures. La secrétaire est surprise et dit: "Je suis désolée mais vous n'êtes pas beaucoup malade!" Christelle dit: "Non, Madame. Ce n'est pas moi. C'est ma grand-mère de 90 ans qui a un rendez-vous chez le coiffeur, et elle n'a pas de voiture." La secrétaire dit: "Oh, pardon, alors venez ce matin."

2 Christelle arrive chez **le docteur**. Il est onze heures. M. Ourdas est un homme très athlétique. Il dit à Christelle: "Alors, qu'est-ce que vous avez?" Christelle dit qu'elle n'est pas **en** très **bonne forme** et qu'elle **a mal** au **genou**. Le docteur examine le genou de Christelle et dit: "Il **n'y a rien**. Je suis désolé, mais je ne peux rien faire pour vous." Le docteur regarde les informations sur Christelle et dit: "Vous êtes hypocondriaque. Vous n'êtes pas malade."

3 Alain est à Denver pour un mois. Il est étudiant. À Denver on peut beaucoup skier. Tant mieux parce qu'Alain adore skier et il **ne** skie **jamais** en France. Mais Alain skie trop et maintenant il a mal à l'**épaule** et la **main**. Il téléphone à un docteur. La secrétaire demande pourquoi il a besoin du docteur. Alain explique son problème et dit qu'il ne peut pas prendre la voiture. Le docteur doit venir chez Alain. Mais ce n'est pas possible. **Il faut** prendre un taxi ou demander à **quelqu'un** de faire le chauffeur pour Alain. Les docteurs américains ne font pas de visite à la maison du patient.

Advanced Story

Au cabinet du docteur Pelage

Jean téléphone au **cabinet** de M. Pelage. M. Pelage est **le docteur** de la famille. Jean **n'est jamais malade**, mais aujourd'hui il n'est pas **en bonne forme** et il voudrait **prendre rendez-vous** avec le docteur. La secrétaire dit qu'il peut venir à trois heures cet **après-midi**.

Il est trois heures et Jean entre dans le cabinet du docteur. Le docteur dit: "Bonjour, Jean! Ça va?" Jean répond: "Pas très bien. Et demain je dois jouer au foot. Ils ont besoin de moi pour protéger le goal." Le docteur demande: "Tu as de **la fièvre**?" Jean répond: "Non, mais **j'ai mal**." Le docteur demande: "Où est-ce que tu as mal?" Jean répond: "Quand je mets ma **main** sur ma tête, j'ai mal." Le docteur regarde la tête de Jean, mais il **n'y a rien** d'anormal. Jean dit aussi: "Quand je mets ma main sur mon **épaule**, j'ai mal." Le docteur regarde l'épaule de Jean, mais il n'y a rien d'anormal. Le docteur dit: "C'est bizarre." Jean dit: "Quand je mets ma main sur mon **genou**, j'ai mal aussi." Le docteur regarde le genou de Jean, mais il n'y a rien d'anormal. Le docteur a une idée et dit: "Attends, montre-moi ta main!" Jean montre sa main au docteur. Le docteur dit: "Pas de surprise. Tu as mal à la main!" Jean demande: "Est-ce que je peux jouer au foot demain?" Le docteur répond: "Oui, tu peux jouer au foot, mais tu ne peux pas protéger le goal.* **Il faut** trouver **quelqu'un** pour te remplacer!"

*Remember that goalies in soccer can use their hands, but players in the field can not.

Au cabinet du docteur Pelage

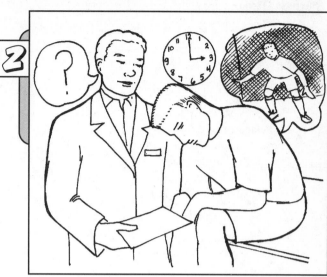

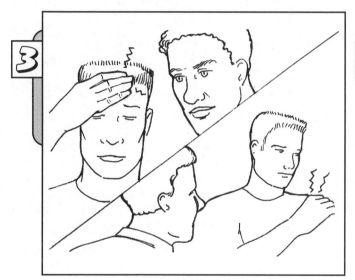

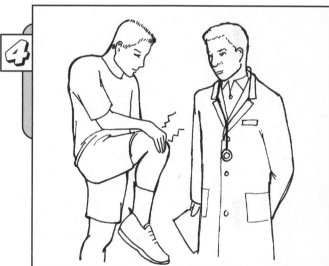

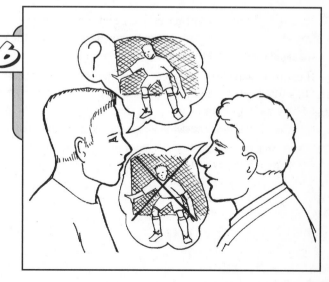

Purpose: To use the vocabulary to tell a story.

1. Display the vocabulary list (page 77) in class. Students use the list as a reference.

2. Show illustrations (page 79), then tell the story. Have students follow along.

3. Pick student actors for the story.

4. Tell the story in an animated way. At the same time help student actors perform the story.

5. Ask **Yes/No Questions.**

> M. Pelage est le professeur de français de Jean? (non)
>
> Jean est toujours malade? (non)
>
> Le rendez-vous de Jean est à trois heures de l'après-midi? (oui)
>
> Jean a de la fièvre? (non)
>
> Jean a mal à la main? (oui)

6. Ask **Comprehension Questions** about the story.

Pourquoi est-ce que Jean va chez le docteur?	Il n'est pas en bonne forme.
Qu'est-ce que Jean doit faire demain?	Demain il doit jouer au foot.
Où est-ce que Jean a mal?	Il a mal à la tête, à l'épaule et au genou.
Quand le docteur examine Jean, qu'est-ce qu'il trouve?	Il ne trouve rien d'anormal.
Est-ce que Jean peut jouer demain?	Oui, mais il ne peut pas protéger le goal.

7. Read the **Changed Story** and have students correct it.

> Jean téléphone (1) <u>à la maison</u> de M. Pelage. M. Pelage est le (2) <u>dentiste</u> de la famille. Jean n'est jamais malade, mais aujourd'hui il n'est pas en bonne forme et il voudrait (3) <u>jouer au foot</u> avec le docteur. La secrétaire dit qu'il peut venir à trois heures (4) <u>ce matin</u>.
>
> Il est trois heures et Jean entre dans le cabinet du docteur. Le docteur dit: "Bonjour, Jean! Ça va?" Jean répond: "Pas très bien. Et demain je dois jouer au foot. Ils ont besoin de moi pour protéger le goal." Le docteur demande: "Tu as de la fièvre?" Jean répond: "Non, mais j'ai (5) <u>peur</u>." Le docteur demande: "Où est-ce que tu as mal?" Jean répond: "Quand je mets ma main sur ma tête, j'ai mal." Le docteur regarde la tête de Jean, mais il n'y a rien d'anormal. Jean dit aussi: "Quand je mets ma main sur mon épaule, j'ai mal." Le docteur regarde l'épaule de Jean, mais il n'y a rien d'anormal. Le docteur dit: "C'est bizarre." Jean dit: "Quand je mets ma main sur mon (6) <u>pied</u>, j'ai mal aussi." Le docteur regarde le genou de Jean, mais il n'y a rien d'anormal. Le docteur a une idée et dit: "Attends, montre-moi ta main!" Jean montre sa main au docteur. Le docteur dit: "Pas de surprise. Tu as mal à la main!" Jean demande: "Est-ce que je peux jouer au foot demain?" Le docteur répond: "Oui, tu peux jouer au foot, mais tu ne peux pas protéger le goal.* (7) <u>Je vais</u> trouver quelqu'un pour te remplacer!"

> **Answer Key:**
> (1) au cabinet (2) docteur (3) prendre rendez-vous (4) cet après-midi (5) mal (6) genou (7) Il faut

8. Collaborate with students in establishing a list of guide words. **Note:** Guide words are a brief list of difficult words or phrases that occur in the story. Display the guide words.

9. Have students practice with partners using only the story's illustrations (page 79) and the guide words (if needed).

10. Have volunteers tell the story to the class. Students may use illustrations and guide words, if necessary.

11. Assessment: Have students record the story on audiocassettes or any electronic media. Students may use only the illustrations. Guide words may be used by students who need more direction. Evaluate the recordings and include them in students' portfolios.

12. Collaborate with students in writing the story based on the illustrations. Write the story as students copy it.

13. Have partners invent a new story or alter the original story. Have them draw new or altered illustrations and then tell the story to the class.

Basic Story

UNITÉ 11

Step 1	**Gesturing New Vocabulary**

Purpose: To introduce the new vocabulary.

1. Show the vocabulary list on the right, covering up the English and Gesture columns.

2. Introduce the first three words/ expressions.

3. Say the words one at a time and do the gestures.

4. Have students imitate the gestures silently.

5. Say the words and have students gesture with their eyes closed.

6. Test individual students randomly. Say a word and have students do the gesture. (If a word is not understood by several students, it must be included when teaching the following set of words.)

7. Do gestures and have students say the words.

8. Say the words and have students give the English equivalents.

9. Repeat this process (Steps 1-8) for the next set of three words until all of the vocabulary list is presented.

10. Ask questions and have students answer.

   Sample Questions:
   Tu as un passeport?
   *Il y a un aéroport à (*name of your city*)?*
   Est-ce que tu voyages souvent en avion?
   Tu aimes aller à la plage?
   Quel âge faut-il avoir pour jouer au casino?

11. The following day review the vocabulary list using the above steps with increased speed.

12. You may also want to check students' comprehension by creating matching quizzes and fill-in-the-blank exercises.

Note: Some ways to invent gestures include referencing American Sign Language books, making them up or soliciting student input.

French	English	Gesture
l'aéroport	airport	Say the name of your local airport.
le passeport	passport	Point to a passport.
l'avion	the airplane	Point to a picture of an airplane.
(il) part	(it) leaves	Walk out of the classroom.
près de	near	Hold an object in each hand and bring them close together.
voir	to see	Put your hands up to your eyes like you're holding binoculars.
la Suisse	Switzerland	Point to Switzerland on a map.
suisse	Swiss	Point to the Swiss flag.
deuxième	second	Hold up two fingers.
la ville	the city	Say the name of your city.
le Sénégal	Senegal	Point to Senegal on a map.
l'Afrique	Africa	Point to Africa on a map.
la plage	the beach	Pretend to swim and then lie in the sun.
formidable	great, terrific	Give "thumbs up" sign.
troisième	third	Hold up three fingers.
la bibliothèque	the library	Pretend to choose a book from a shelf, sit down and read it.

Situations

1 Andrée va à **la bibliothèque** ce matin. Elle veut trouver des informations sur **le Sénégal**. Dans un mois c'est les vacances de printemps et Andrée voudrait aller au Sénégal. Ses parents veulent payer un petit voyage parce que leur fille est bonne en classe. Elle a la **troisième** place. Elle demande à l'employée de la bibliothèque: "Où sont les livres sur **l'Afrique**... sur le Sénégal?" L'employée répond: "C'est **près des** livres pour le Maroc." Alors, Andrée doit travailler beaucoup plus maintenant. Elle doit avoir la première place.

2 Aujourd'hui c'est le jour des vacances pour Andrée. Maintenant elle a la première place en classe et ses parents paient le voyage pour le Sénégal. Andrée arrive à **l'aéroport**. Elle est très excitée. Le Sénégal, c'est **formidable**! Elle est impatiente de **voir** les belles **plages** et de nager. Mais il y a un problème. Andrée ne trouve pas son **passeport**! Oh là là! Elle doit rentrer à la maison. Andrée trouve le passeport sur la table dans la cuisine.

3 Une heure passe. Andrée arrive à l'aéroport avec son passeport. Elle demande à un employé: "Où est **l'avion** pour le Sénégal?" Il répond: "C'est à la porte quatre-vingts." Mais un avion **part** à ce moment et Andrée va à la porte vingt! Dans l'avion tout le monde parle de ski dans les Alpes. Andrée réalise qu'elle est dans l'avion pour Genève!

4 Le steward dit que l'avion va à Genève, une **ville suisse**. En **Suisse** on parle français. Tant mieux! On parle aussi allemand. C'est la **deuxième** langue officielle. Mais qu'est-ce qu'Andrée va faire? Elle a des vêtements pour la plage. Maintenant elle doit acheter un anorak et des chaussures chaudes. Quelles vacances!

Basic Story

Un voyage en avion

Richard est un journaliste spécialisé dans les voyages. Aujourd'hui il est à **l'aéroport** de Roissy parce qu'il va faire un voyage en avion. Voyager en avion, c'est cher mais sa compagnie paie pour le voyage. L'agent vérifie **le passeport** de Richard. **L'avion part** dans dix minutes. Richard va dans l'avion. Dans l'avion Richard trouve son fauteuil **près de** la fenêtre. Il préfère être près de la fenêtre parce qu'il peut **voir** beaucoup de choses. Richard est très curieux. Une femme arrive et prend le fauteuil à gauche de Richard. Mais c'est (*name of famous actress*)! L'avion part, et Richard et (*name of famous actress*) commencent à parler. Ce voyage va être intéressant!

Après 50 minutes, l'avion arrive à la première destination. C'est **la Suisse**. Les passagers font des photos et achetent du chocolat. Le chocolat **suisse** est délicieux! Richard et (*name of famous actress*) décident de rester dans l'avion. La Suisse, ce n'est pas extraordinaire.

La **deuxième** destination est **la ville** de Dakar au **Sénégal** en **Afrique**. Les passagers visitent la ville ou vont à **la plage**. C'est **formidable**! Mais Richard et (*name of famous actress*) ne sont pas intéressés et restent dans l'avion.

Maintenant l'avion arrive à la troisième destination. C'est Las Vegas. Les passagers sont excités parce qu'ils veulent aller au casino. Mais Richard et (*name of famous actress*) restent dans l'avion et parlent. Jouer au casino, c'est ordinaire. Mais un passager ne veut pas partir. Il a de la chance au casino!

La destination finale est en Australie. Les passagers nagent et voient des poissons de beaucoup de couleurs. Mais Richard et (*name of famous actress*) restent dans l'avion. Richard a des poissons tropicaux à la maison.

Maintenant l'avion va sur Paris et Richard réalise qu'il a un problème pour son article. Il dit: "Qu'est-ce que je vais faire?" (*Name of famous actress*) répond: "On va aller à **la bibliothèque** et trouver des informations!"

Purpose: To use the vocabulary to tell a story.

1. Display the vocabulary list (page 81) in class. Students use the list as a reference.

2. Show illustrations (page 83), then tell the story. Have students follow along.

3. Pick student actors for the story.

4. Tell the story in an animated way. At the same time help student actors perform the story.

5. Ask **Yes/No Questions.**

   Richard est un docteur? (non)
   Richard voyage? (oui)
   Richard est très curieux de voir la Suisse? (non)
   Richard a de la chance au casino? (non)
   Après le voyage Richard va aller à la bibliothèque? (oui)

6. Ask **Comprehension Questions** about the story.

   Qu'est-ce que Richard va faire aujourd'hui?   Il va faire un voyage en avion.
   Où est-ce que Richard préfère être dans l'avion?   Il préfère être près de la fenêtre.
   Quelle est la deuxième destination?   La deuxième destination est la ville de Dakar.
   Pourquoi est-ce que Richard reste dans l'avion?   Il parle avec (*name of famous actress*).
   Où est-ce que Richard va trouver des informations?   Il va trouver des informations à la bibliothèque.

7. Read the **Changed Story** and have students correct it.

   Richard est un journaliste spécialisé dans les (1) <u>films</u>. Aujourd'hui il est à l'aéroport de Roissy parce qu'il va faire un voyage en avion. Voyager en avion, c'est (2) <u>bon marché</u> mais sa compagnie paie pour le voyage. L'agent vérifie le passeport de Richard. L'avion (3) <u>arrive</u> dans dix minutes. Richard va dans l'avion. Dans l'avion Richard trouve son fauteuil près de la fenêtre. Il préfère être près de la fenêtre parce qu'il peut voir beaucoup de choses. Richard est très curieux. Une femme arrive et prend le fauteuil à gauche de Richard. Mais c'est (*name of famous actress*)! L'avion part, et Richard et (*name of famous actress*) commencent à parler. Ce voyage va être intéressant!

   Après 50 minutes, l'avion arrive à la première destination. C'est la (4) <u>Belgique</u>. Les passagers font des photos et achetent du chocolat. Le chocolat suisse est délicieux! Richard et (*name of famous actress*) décident de rester dans l'avion. La Suisse, ce n'est pas extraordinaire.

   La deuxième destination est la ville de Dakar au Sénégal en Afrique. Les passagers visitent la ville ou vont (5) <u>au marché</u>. C'est formidable! Mais Richard et (*name of famous actress*) ne sont pas intéressés et restent dans l'avion.

   Maintenant l'avion arrive à la troisième destination. C'est Las Vegas. Les passagers sont excités parce qu'ils veulent aller au casino. Mais Richard et (*name of famous actress*) restent dans l'avion et parlent. Jouer au casino, c'est ordinaire. Mais un passager ne veut pas partir. Il a de la chance au casino!

   La destination finale est en Australie. Les passagers nagent et voient des poissons de beaucoup de couleurs. Mais Richard et (*name of famous actress*) restent dans l'avion. Richard a des poissons tropicaux à la maison.

   Maintenant l'avion va sur Paris et Richard réalise qu'il a un problème pour son (6) <u>passeport</u>. Il dit: "Qu'est-ce que je vais faire?" (*Name of famous actress*) répond: "On va aller à la (7) <u>plage</u> et trouver des informations!"

   Answer Key:
   (1) voyages (2) cher (3) part (4) Suisse (5) à la plage (6) article (7) bibliothèque

8. Collaborate with students in establishing a list of guide words. **Note:** Guide words are a brief list of difficult words or phrases that occur in the story. Display the guide words.

9. Have students practice with partners using only the story's illustrations (page 83) and the guide words (if needed).

10. Have volunteers tell the story to the class. Students may use illustrations and guide words, if necessary.

11. Assessment: Have students record the story on audiocassettes or any electronic media. Students may use only the illustrations. Guide words may be used by students who need more direction. Evaluate the recordings and include them in students' portfolios.

12. Collaborate with students in writing the story based on the illustrations. Write the story as students copy it.

13. Have partners invent a new story or alter the original story. Have them draw new or altered illustrations and then tell the story to the class.

Step 1	**Gesturing New Vocabulary**

Purpose: To introduce the new vocabulary.

1. Show the vocabulary list on the right, covering up the English and Gesture columns.

2. Introduce the first three words/ expressions.

3. Say the words one at a time and do the gestures.

4. Have students imitate the gestures silently.

5. Say the words and have students gesture with their eyes closed.

6. Test individual students randomly. Say a word and have students do the gesture. (If a word is not understood by several students, it must be included when teaching the following set of words.)

7. Do gestures and have students say the words.

8. Say the words and have students give the English equivalents.

9. Repeat this process (Steps 1-8) for the next set of three words until all of the vocabulary list is presented.

10. Ask questions and have students answer.

   Sample Questions:
   Où est la poste à (name of your city)?
   Qu'est-ce que tu achètes à la poste?
   Où est-ce que tu vas pour prendre le train?
   À quelle heure dois-tu rentrer à la maison le samedi soir?
   Qu'est-ce que tu as envie de faire maintenant?

11. The following day review the vocabulary list using the above steps with increased speed.

12. You may also want to check students' comprehension by creating matching quizzes and fill-in-the-blank exercises.

Note: Some ways to invent gestures include referencing American Sign Language books, making them up or soliciting student input.

French	English	Gesture
la veille	the night before	Say "Le 24 décembre, c'est la veille de Noël."
une poste	a post office	Trace a building in the air and point to several envelopes and a package.
une avenue	an avenue	Say the name of a local avenue.
des timbres	stamps	Point to several stamps.
un musée	a museum	Trace a building in the air and say the name of a local museum.
(il) a envie de	(he) wants/feels like	Point to a boy and make begging hands.
cinquième	fifth	Hold up five fingers.
une gare	a train station	Trace a building in the air and say the name of the local train station.
des horaires	schedules, timetables	Point to several student schedules.
un train	a train	Say "tchou-tchou."
rentrer	to come home, to return	Trace a house in the air and make your fingers "walk" toward it.
une banque	a bank	Say the name of a local bank.
de l'argent	money	Point to some money.
nord-est	northeast	On a map, point to the northeast.
... me plaît	I like...	Point to yourself and then to your heart.

Additional Vocabulary
faire le guide, explique, temps, fermés, leur plaît, le, addition, ensuite, sans, faire attention, reçu, à l'heure, toutes

Situations

1 Antoine est un très bon élève en français. Alors, M. Norton, le prof de français, demande: "Antoine, est-ce que tu voudrais aller à Paris et faire le guide pour un groupe de touristes américains?" Antoine est intéressé. Un séjour à Paris, c'est formidable! Antoine répond: "L'idée **me plaît** beaucoup."

La veille du départ, c'est l'anniversaire d'Antoine. Il mange beaucoup de gâteau au chocolat. Quelle mauvaise idée! Maintenant Antoine est malade!

2 Après un long voyage difficile, Antoine arrive à Paris. Le premier jour Antoine voudrait dormir, mais les touristes veulent trouver **une banque**. Ils veulent **de l'argent** français pour acheter des souvenirs de Paris. Les touristes vont dans cinq différentes banques près de l'hôtel. Antoine accompagne le **cinquième** groupe qui est très bavard. Ils parlent avec Antoine et veulent des informations. Mais Antoine n'**a** pas **envie** aujourd'hui. Il est trop malade. Il a envie de dormir.

3 Le deuxième jour Antoine est en bonne forme. Les touristes veulent aller dans beaucoup de **musées**, mais ce n'est pas possible. Antoine explique qu'on peut visiter deux musées et c'est tout. Ils n'ont pas beaucoup de temps. Ils arrivent à un musée sur **une** grande **avenue**. Mais mauvaise surprise! Aujourd'hui les musées sont fermés. Qu'est-ce qu'on va faire? On décide d'aller à la **poste**. Mais les touristes doivent attendre un peu parce qu'il est midi et les employés de la poste mangent. Alors, le groupe va dans un petit restaurant. À deux heures ils retournent à la poste et achètent **des timbres**. Ils voient une affiche de Giverny. C'est la ville où l'on peut voir la maison et le beau jardin de l'artiste Monet. Les touristes ont envie de visiter Giverny demain.

4 On va prendre le **train** à Giverny. Ils trouvent **une gare** au **nord-est** de Paris. À la gare ils regardent les **horaires** de train. Il y a un train qui part à sept heures de Paris et part à deux heures de Giverny. C'est très bien parce qu'il faut être à Paris à cinq heures. L'avion pour **rentrer** aux États-Unis part à cinq heures. Antoine et les touristes visitent la maison de Monet. Elle leur plaît beaucoup. Dans l'avion les touristes donnent un cadeau à Antoine et le complimentent sur son français. Ils demandent: "Est-ce que tu voudrais aller en Suisse avec nous?"

Advanced Story

Un élève diligent

Mme McCoy, la prof de français, donne un projet aux élèves. Ils doivent trouver des choses authentiques françaises. La liste est longue, mais la prof dit que tout le monde peut avoir un "A." Elle dit aux élèves de ne pas commencer à faire le projet **la veille**! Alain est un élève de Mme McCoy. Il est très intelligent et veut avoir un "A." Alors, il prend l'avion pour Paris! Il n'est jamais allé à Paris, mais il parle français assez bien. Alors, pas de problème!

Alain arrive à neuf heures du matin. Il prend le petit déjeuner à l'aéroport. Maintenant il a une chose authentique française, l'addition du restaurant. Ensuite il prend le bus (il a une deuxième chose, un ticket de bus) et va dans la ville. Il cherche **une poste**. Il demande à une femme, mais c'est une touriste et elle ne parle pas français. Zut! Il est sur **une** grande **avenue**, alors il va trouver sans problème. Il arrive à la poste et achète **des timbres**. Super! Une troisième chose! Ensuite il va au **musée** Rodin. L'employé donne une belle brochure. Maintenant il a quatre choses. La prof va être impressionnée. Il est déjà midi et Alain a faim. Il **a envie de** manger un bon sandwich au fromage. Il garde le papier du sandwich. C'est la **cinquième** chose. Maintenant il faut trouver **une gare**. Il arrive à la gare Saint-Lazare et prend **des horaires** de **train**. Alain est très satisfait de son séjour. Mais il faut faire attention parce qu'il doit **rentrer** ce soir. Il y a encore des choses sur la liste. Dans **une banque** il change **de l'argent** et garde le reçu. Alain a sept choses maintenant. Il est trois heures et il doit prendre le bus pour aller à l'aéroport. L'aéroport est au **nord-est** de Paris. Alain arrive à l'heure pour prendre son avion. Il est fatigué mais il dit: "Ce voyage **me plaît**!"

Quand Mme McCoy voit toutes les choses authentiques pour le projet d'Alain, elle est très surprise. Les autres élèves ont des photocopies parce qu'ils cherchent sur Internet. Elle donne un "A+" à Alain.

Un élève diligent

Purpose: To use the vocabulary to tell a story.

1. Display the vocabulary list (page 85) in class. Students use the list as a reference.

2. Show illustrations (page 87), then tell the story. Have students follow along.

3. Pick student actors for the story.

4. Tell the story in an animated way. At the same time help student actors perform the story.

5. Ask **Yes/No Questions.**

> Mme McCoy est la prof de maths? (non)
> Les élèves doivent trouver des choses authentiques françaises? (oui)
> Alain va à Genève pour son projet? (non)
> Alain trouve sept choses? (oui)
> Mme McCoy donne un "B" à Alain? (non)

6. Ask **Comprehension Questions** about the story.

Est-ce qu'Alain est déjà allé à Paris?	Non, il n'est jamais allé à Paris.
Quelle est la première chose authentique qu'Alain garde?	Il garde l'addition du restaurant.
Alain va à quel musée?	Il va au musée Rodin.
Quel sandwich est-ce qu'Alain mange?	Il mange un sandwich au fromage.
Qu'est-ce qu'Alain prend à la gare?	Il prend des horaires de train.

7. Read the **Changed Story** and have students correct it.

> Mme McCoy, la prof de français, donne un projet aux élèves. Ils doivent trouver des (1) <u>timbres</u> authentiques françaises. La liste est longue, mais la prof dit que tout le monde peut avoir un "A." Elle dit aux élèves de ne pas commencer à faire le projet la veille! Alain est un élève de Mme McCoy. Il est très (2) <u>malade</u> et veut avoir un "A." Alors, il prend l'avion pour Paris! Il n'est jamais allé à Paris, mais il parle français assez bien. Alors, pas de problème!
>
> Alain arrive à neuf heures du matin. Il prend le (3) <u>dîner</u> à l'aéroport. Maintenant il a une chose authentique française, l'addition du restaurant. Ensuite il prend le bus (il a une deuxième chose, un ticket de bus) et va dans la ville. Il cherche une poste. Il demande à une femme, mais c'est une touriste et elle ne parle pas français. Zut! Il est sur une grande avenue, alors il va trouver sans problème. Il arrive à la poste et achète des timbres. Super! Une troisième chose! Ensuite il va au (4) <u>restaurant</u> Rodin. L'employé donne une belle brochure. Maintenant il a quatre choses. La prof va être impressionnée. Il est déjà midi et Alain a faim. Il a envie de manger un bon sandwich au fromage. Il garde le papier du sandwich. C'est la (5) <u>quatrième</u> chose. Maintenant il faut trouver une gare. Il arrive à la gare Saint-Lazare et prend des horaires (6) <u>d'avion</u>. Alain est très satisfait de son séjour. Mais il faut faire attention parce qu'il doit rentrer ce soir. Il y a encore des choses sur la liste. Dans une banque il change de l'argent et garde le reçu. Alain a sept choses maintenant. Il est trois heures et il doit prendre le bus pour aller à l'aéroport. L'aéroport est au (7) <u>sud</u> de Paris. Alain arrive à l'heure pour prendre son avion. Il est fatigué mais il dit: "Ce voyage me plaît!"
>
> Quand Mme McCoy voit toutes les choses authentiques pour le projet d'Alain, elle est très surprise. Les autres élèves ont des photocopies parce qu'ils cherchent sur Internet. Elle donne un "A+" à Alain.

> **Answer Key:**
> (1) choses (2) intelligent (3) petit déjeuner (4) musée (5) cinquième (6) de train (7) nord-est

8. Collaborate with students in establishing a list of guide words. **Note:** Guide words are a brief list of difficult words or phrases that occur in the story. Display the guide words.

9. Have students practice with partners using only the story's illustrations (page 87) and the guide words (if needed).

10. Have volunteers tell the story to the class. Students may use illustrations and guide words, if necessary.

11. Assessment: Have students record the story on audiocassettes or any electronic media. Students may use only the illustrations. Guide words may be used by students who need more direction. Evaluate the recordings and include them in students' portfolios.

12. Collaborate with students in writing the story based on the illustrations. Write the story as students copy it.

13. Have partners invent a new story or alter the original story. Have them draw new or altered illustrations and then tell the story to the class.

French	English	Gesture
passer	to spend (time)	On a calendar, cross off two weeks.
une lumière	a light	Point to a light in your classroom.
(je) pense (à)	(I) think (of)	Put your hand on your forehead like in *The Thinker*.
la tour	the tower	Point to a picture of the Eiffel Tower.
le monument	the monument	Point to a picture of the Washington Monument.
un cimetière	a cemetery	Trace crosses in the air.
le tombeau	the tomb	Point to a picture of a tomb.
un plan	a map	Point to a map.
un métro	a subway	Point to a picture of a subway train.
un tableau	a painting	Point to a painting in your classroom.
des statues	statues	Point to pictures of statues.
un bateau	a boat	Point to a picture of a boat.
l'hôtel	the hotel	Say the name of a local hotel.

Step 1	**Gesturing New Vocabulary**

Purpose: To introduce the new vocabulary.

1. Show the vocabulary list on the right, covering up the English and Gesture columns.

2. Introduce the first three words/ expressions.

3. Say the words one at a time and do the gestures.

4. Have students imitate the gestures silently.

5. Say the words and have students gesture with their eyes closed.

6. Test individual students randomly. Say a word and have students do the gesture. (If a word is not understood by several students, it must be included when teaching the following set of words.)

7. Do gestures and have students say the words.

8. Say the words and have students give the English equivalents.

9. Repeat this process (Steps 1-8) for the next set of three words until all of the vocabulary list is presented.

10. Ask questions and have students answer.

   Sample Questions:
   Il y a un métro à (name of your city)?
   Est-ce que (name of local hotel) *est un bon hôtel?*
   Qu'est-ce que tu penses de (name of recent film)?
   (Point to a famous painting.) *C'est un tableau de qui?*
   Où vas-tu passer tes vacances?

11. The following day review the vocabulary list using the above steps with increased speed.

12. You may also want to check students' comprehension by creating matching quizzes and fill-in-the-blank exercises.

Note: Some ways to invent gestures include referencing American Sign Language books, making them up or soliciting student input.

Situations

1. Gabriel et Frédéric vont **passer** quatre jours à Paris avec leurs parents. À leur **hôtel** il y a beaucoup de **tableaux**. Un tableau montre les Catacombes. C'est comme **un cimetière** sous Paris. Gabriel est très curieux et voudrait bien aller voir les Catacombes, mais sa mère ne va pas vouloir. Alors, il décide d'aller ce soir. Il demande à Frédéric: "Tu veux venir avec moi?" Mais Frédéric dit qu'il est un peu malade et qu'il ne veut pas aller. Gabriel dit: "Tu as peur!"

2. Cet après-midi Gabriel et Frédéric visitent la ville de Paris avec leurs parents. À Paris il y a toujours des choses à voir. Ils prennent le **bateau** sur la Seine. Ils visitent des **monuments** comme **la tour** Eiffel. Frédéric a un peu peur parce que la tour est énorme. Il va seulement au deuxième étage, mais Gabriel va au troisième étage. Gabriel achète **un plan** de Paris pour ce soir. Il est impatient.

3. Après un bon dîner dans un petit restaurant, la famille rentre à l'hôtel. Les enfants vont dans leur chambre, mais ils ne vont pas dormir! Gabriel se prépare. Il prend son plan et de l'argent pour le **métro**. Frédéric dit: "Prends une lampe! Il n'y a pas de **lumière** dans les Catacombes." Gabriel demande: "Alors, tu ne veux toujours pas venir?" Frédéric répond: "Non, ça ne m'intéresse pas." Gabriel part et dit à Frédéric: "À demain!" Il **pense**: "Quel bébé!"

4. Aussitôt que Gabriel est parti, Frédéric va voir ses parents et il dit que Gabriel est allé aux Catacombes. Ses parents ont une idée. Ils prennent la voiture et vont aux Catacombes avec Frédéric. Gabriel n'est pas arrivé. Frédéric a peur — il n'y a pas de **tombeau** pour les squelettes! Son père dit: "Regarde, c'est comme **des statues**!" Gabriel arrive. Il a des frissons parce qu'il a peur de ces squelettes. Et les squelettes parlent! "Bonjour, Gabriel!" Gabriel crie: "Ahhhh!" Les parents de Gabriel prennent des photos. Frédéric dit: "Alors, qui a peur?"

Basic Story

Où va-t-on dormir?

Les élèves de la classe de français de M. Beckman vont aller à Paris. Ils vont **passer** deux semaines en juillet dans la "Ville **lumière**". Le professeur a demandé aux élèves de trouver des livres à la bibliothèque de l'école, de préparer une liste de choses à faire à Paris et de présenter leurs projets à la classe.

Jacques dit: "**Je pense** qu'il faut visiter **la tour** Eiffel. C'est **le monument** symbole de Paris." Et il donne des informations sur la tour: des dates, des personnes, des dimensions. Le professeur est satisfait.

Puis Nathan dit: "On doit aller au **cimetière** du Père-Lachaise." Tout le monde dit: "Ah, mais c'est seulement un cimetière." Nathan répond: "Mais non, il y a **le tombeau** de Jim Morrison et d'autres personnes importantes au cimetière. J'ai trouvé **un plan** du cimetière et on peut aller en **métro**." Le professeur pense que c'est une bonne idée.

Alors Hélène montre une photo du **tableau** *la Joconde*. Tout le monde dit: "D'accord, il faut au moins voir *la Joconde*." Hélène dit: "*La Joconde* est au musée du Louvre. C'est très populaire, alors il y a toujours beaucoup de touristes. On peut aussi voir d'autres tableaux ou **des statues**. Il faut être patient pour *la Joconde*."

Céleste propose de faire un tour en **bateau** sur la Seine parce qu'on peut voir beaucoup de monuments. Elle dit: "On peut prendre de belles photos du bateau." Le professeur dit: "C'est vrai." Il pense que ses élèves ont bien fait, mais il a une dernière question: "Qui a pensé à **l'hôtel**? Où va-t-on dormir?"

Purpose: To use the vocabulary to tell a story.

1. Display the vocabulary list (page 89) in class. Students use the list as a reference.

2. Show illustrations (page 91), then tell the story. Have students follow along.

3. Pick student actors for the story.

4. Tell the story in an animated way. At the same time help student actors perform the story.

5. Ask **Yes/No Questions**.

> Les élèves vont passer deux semaines au Sénégal? (non)
> Le professeur donne les informations aux élèves? (non)
> Jacques veut aller voir la tour Eiffel? (oui)
> Le tombeau de Jim Morrison est au musée du Louvre? (non)
> *La Joconde* est un tableau? (oui)

6. Ask **Comprehension Questions** about the story.

Quel est le symbole de Paris?	C'est la tour Eiffel.
Le Père-Lachaise, qu'est-ce que c'est?	C'est un cimetière.
Pourquoi faut-il être patient au Louvre?	Il y a toujours beaucoup de touristes.
Qu'est-ce que Céleste propose?	Elle propose de faire un tour en bateau sur la Seine.
On n'a pas pensé à quoi?	On n'a pas pensé à l'hôtel.

7. Read the **Changed Story** and have students correct it.

Les élèves de la classe de français de M. Beckman vont aller à Paris. Ils vont passer deux semaines en juillet dans la "Ville lumière". Le professeur a demandé aux élèves de trouver des livres à la (1) <u>cantine</u> de l'école, de préparer une liste de choses à faire à Paris et de présenter leurs projets à la classe.

Jacques dit: "Je pense qu'il faut visiter la tour Eiffel. C'est le monument symbole de Paris." Et il donne des informations sur la tour: des dates, des personnes, des dimensions. Le professeur est satisfait.

Puis Nathan dit: "On doit aller au cimetière du Père-Lachaise." Tout le monde dit: "Ah, mais c'est seulement un (2) <u>jardin</u>." Nathan répond: "Mais non, il y a le (3) <u>tableau</u> de Jim Morrison et d'autres personnes importantes au cimetière. J'ai trouvé un plan du cimetière et on peut aller en métro." Le professeur pense que c'est une bonne idée.

Alors Hélène montre une photo (4) <u>de la statue</u> la Joconde. Tout le monde dit: "D'accord, il faut au moins voir *la Joconde*." Hélène dit: "*La Joconde* est au musée (5) <u>Rodin</u>. C'est très populaire, alors il y a toujours beaucoup de touristes. On peut aussi voir d'autres tableaux ou des statues. Il faut être patient pour *la Joconde*."

Céleste propose de faire un tour en (6) <u>métro</u> sur la Seine parce qu'on peut voir beaucoup de monuments. Elle dit: "On peut prendre de belles photos du bateau." Le professeur dit: "C'est vrai." Il pense que ses élèves ont bien fait, mais il a une dernière question: "Qui a pensé (7) <u>au restaurant</u>? Où va-t-on dormir?"

Answer Key:
(1) bibliothèque (2) cimetière (3) tombeau (4) du tableau (5) du Louvre (6) bateau (7) à l'hôtel

8. Collaborate with students in establishing a list of guide words. **Note:** Guide words are a brief list of difficult words or phrases that occur in the story. Display the guide words.

9. Have students practice with partners using only the story's illustrations (page 91) and the guide words (if needed).

10. Have volunteers tell the story to the class. Students may use illustrations and guide words, if necessary.

11. Assessment: Have students record the story on audiocassettes or any electronic media. Students may use only the illustrations. Guide words may be used by students who need more direction. Evaluate the recordings and include them in students' portfolios.

12. Collaborate with students in writing the story based on the illustrations. Write the story as students copy it.

13. Have partners invent a new story or alter the original story. Have them draw new or altered illustrations and then tell the story to the class.

UNITÉ 12

Step 1 | Gesturing New Vocabulary

Purpose: To introduce the new vocabulary.

1. Show the vocabulary list on the right, covering up the English and Gesture columns.

2. Introduce the first three words/ expressions.

3. Say the words one at a time and do the gestures.

4. Have students imitate the gestures silently.

5. Say the words and have students gesture with their eyes closed.

6. Test individual students randomly. Say a word and have students do the gesture. (If a word is not understood by several students, it must be included when teaching the following set of words.)

7. Do gestures and have students say the words.

8. Say the words and have students give the English equivalents.

9. Repeat this process (Steps 1-8) for the next set of three words until all of the vocabulary list is presented.

10. Ask questions and have students answer.

   Sample Questions:
   Qui est le plus jeune de ta famille?
   À quelle heure est-ce que tu quittes ta maison le matin?
   Tu marches jusqu'à l'école?
   Tu aimes aller au bal?
   Qui est un artiste impressionniste?

11. The following day review the vocabulary list using the above steps with increased speed.

12. You may also want to check students' comprehension by creating matching quizzes and fill-in-the-blank exercises.

Note: Some ways to invent gestures include referencing American Sign Language books, making them up or soliciting student input.

French	English	Gesture
(ils) sont montés	(they) have gone up	Make your fingers pretend to "walk" up the stairs.
la journée	day	Indicate 8:00 A.M. to 8:00 P.M. on a clock and draw a sun.
impressionnistes	Impressionist	Point to several Impressionist paintings.
(ils) marchent	(they) walk	Make your fingers pretend to "walk" (horizontally).
la fois	the time	Write the mathematical symbol "x."
d'après	according to	Hold a book in your left hand and point to it with your right hand.
Quittez...!	Leave (a place)!	Wave as you walk out of the classroom.
jeune	young	With your right hand flat, indicate the height of a child.
(ils) continuent	(they) continue	Make your fingers pretend to "walk," stop and start up again.
un bal	a dance	Pretend to dance.
le défilé	the parade	Point to a picture of a parade.

Additional Vocabulary

qui, impressionnant, plus tard, peur, enfin, difficile, appareil, sort, protégé

Situations

1 L'école de Clarisse et Séverine donne **un bal** pour célébrer Mardi Gras. Il faut venir avec un costume ou un masque. Séverine passe **la journée** chez Clarisse. Les filles préparent un costume. Elles font un costume qui ressemble à un tableau **impressionniste**. La mère de Clarisse arrive et dit: "Eh, bonjour les filles! Qu'est-ce que vous faites?" Clarisse répond: "C'est notre costume pour le bal. On fait un costume impressionniste." La mère de Clarisse dit: "Ah, très impressionnant!" Clarisse dit: "Oh, maman! Ce n'est pas vraiment amusant."

2 Une heure plus tard le **jeune** frère de Clarisse rentre de l'école. Il regarde les filles et demande: "Mais quel est le thème du bal? La jungle?" Clarisse répond: "**Monte** dans ta chambre! Tu as des devoirs, non?" Le frère répond: "Non." Clarisse dit: "**D'après** mes informations, je pense que tu as beaucoup de devoirs!" Le frère dit: "D'accord. Je vais regarder la télé. Il y a un **défilé**. Au moins ils ont de beaux costumes!"

3 Clarisse dit à Séverine: "Mon frère est vraiment bête! **Continuons** à travailler!" Séverine demande: "Tu as dit que tu as des informations sur les devoirs de ton frère. C'est vrai?" Clarisse répond: "Des informations, non. C'est juste pour faire peur à mon frère." Séverine demande: "Tu fais ça souvent?" Clarisse dit: "Oh, oui. Ce n'est pas **la première fois**."

Du premier étage le frère de Clarisse écoute les filles. Il pense: "Tiens, Clarisse, tu n'as pas d'informations. Intéressant..."

4 Les filles ont fini leur costume. Il y a du bleu, du jaune et du vert. Clarisse dit: "C'est le plus beau costume! On va avoir la première place. Allons au bal!" Séverine et Clarisse mettent leur costume et **quittent** la maison. Clarisse dit: "Maman, on va au bal!" La mère de Clarisse dit: "À bientôt." Le frère dit: "À *très* bientôt!" Clarisse et Séverine **marchent** jusqu'à l'école. Clarisse n'habite pas très loin de l'école. Elles arrivent à l'école, mais il n'y a personne! Le bal est demain, pas aujourd'hui! Zut!

Elles rentrent à la maison. Le frère de Clarisse est à la porte et dit à sa sœur: "D'après mes informations, le bal est demain!"

Advanced Story

Au Louvre

Nous sommes le treize juillet. Les élèves de M. Beckman sont arrivés à Paris le cinq juillet. **Ils sont** déjà **montés** dans la tour Eiffel et ils sont allés au cimetière du Père-Lachaise. Tout le monde a aimé et a pris des photos. Aujourd'hui c'est **la journée** musée. Ce matin les élèves sont allés au musée d'Orsay en métro. Ils ont admiré les tableaux **impressionnistes**. Puis ils ont mangé dans un petit restaurant pas cher.

Il fait très beau cet après-midi, alors ils ne prennent pas le métro. **Ils marchent** jusqu'au Louvre. Ils vont enfin voir *la Joconde*. C'est vraiment excitant. Bien sûr il y a beaucoup de touristes au musée. Ils arrivent près du tableau. C'est **la première fois** qu'ils voient ce tableau et ils sont un peu surpris parce que le tableau n'est pas très grand. C'est difficile de voir ou de prendre une photo. **D'après** le guide, Léonard de Vinci a habité à Paris. Nathan voudrait prendre une photo et il cherche son appareil dans son sac à dos. Mais il a beaucoup trop de choses dans le sac, alors il sort tout: livre, coca,.... Un garde arrive et commence à parler à Nathan. Le garde dit: "**Quittez** le musée, s'il vous plaît!" M. Beckman dit au garde: "Mais, Monsieur, mon élève est un **jeune** homme très sérieux." Le garde répond: "*La Joconde* est le tableau le plus protégé du musée. Et on ne doit pas avoir de boisson dans le musée." Après cet incident les élèves **continuent** leur tour du musée, mais ils ne prennent pas de photos.

Ce soir les élèves vont danser au **bal**. Demain, le quatorze juillet, ils vont regarder **le défilé** sur les Champs-Élysées. Nathan est vraiment content d'être avec ses amis et de ne pas être dans la Bastille!

Purpose: To use the vocabulary to tell a story.

1. Display the vocabulary list (page 93) in class. Students use the list as a reference.

2. Show illustrations (page 95), then tell the story. Have students follow along.

3. Pick student actors for the story.

4. Tell the story in an animated way. At the same time help student actors perform the story.

5. Ask **Yes/No Questions**.

> Les élèves sont arrivés à Paris le treize juillet? (non)
> Ils sont montés dans la tour Eiffel? (oui)
> Il n'y a personne au Louvre? (non)
> Le garde dit à Nathan de quitter le musée? (oui)
> Le défilé est sur les Champs-Élysées? (oui)

6. Ask **Comprehension Questions** about the story.

> Comment s'appelle le musée des Impressionnistes?   C'est le musée d'Orsay.
> Quel tableau est-ce que les élèves vont voir au Louvre?   Ils vont voir *la Joconde*.
> Comment est ce tableau?   Il n'est pas très grand.
> Qu'est-ce que Nathan cherche dans son sac à dos?   Il cherche son appareil.
> Qu'est-ce que les élèves vont faire ce soir?   Ils vont danser au bal.

7. Read the **Changed Story** and have students correct it.

> Nous sommes le treize juillet. Les élèves de M. Beckman sont arrivés à Paris le cinq juillet. Ils sont déjà montés dans la tour Eiffel et ils sont allés au cimetière du Père-Lachaise. Tout le monde a aimé et a pris des photos. Aujourd'hui c'est la journée musée. Ce matin les élèves sont allés au musée d'Orsay en métro. Ils ont admiré les tableaux (1) <u>cubistes</u>. Puis ils ont mangé dans un petit restaurant pas cher.
>
> Il fait très beau cet après-midi, alors ils ne prennent pas le métro. Ils marchent jusqu'au Louvre. Ils vont enfin voir *la Joconde*. C'est vraiment excitant. Bien sûr il y a beaucoup de touristes au musée. Ils arrivent près du tableau. C'est la (2) <u>cinquième</u> fois qu'ils voient ce tableau et ils sont un peu surpris parce que le tableau n'est pas très (3) <u>beau</u>. C'est difficile de voir ou de prendre une photo. D'après le guide, Léonard de Vinci a habité à Paris. Nathan voudrait prendre une photo et il cherche son appareil dans son sac à dos. Mais il a beaucoup trop de choses dans le sac, alors il sort tout: livre, coca,.... Un garde arrive et commence à parler à Nathan. Le garde dit: "(4) <u>Restez dans</u> le musée, s'il vous plaît!" M. Beckman dit au garde: "Mais, Monsieur, mon élève est un (5) <u>vieil</u> homme très sérieux." Le garde répond: "*La Joconde* est le tableau le plus protégé du musée. Et on ne doit pas avoir de (6) <u>gâteau</u> dans le musée." Après cet incident les élèves continuent leur tour du musée, mais ils ne prennent pas de photos.
>
> Ce soir les élèves vont danser au (7) <u>cimetière</u>. Demain, le quatorze juillet, ils vont regarder (8) <u>les statues</u> sur les Champs-Élysées. Nathan est vraiment content d'être avec ses amis et de ne pas être dans la Bastille!

> **Answer Key:**
> (1) impressionnistes (2) première (3) grand (4) Quittez (5) jeune (6) boisson (7) bal (8) le défilé

8. Collaborate with students in establishing a list of guide words. **Note:** Guide words are a brief list of difficult words or phrases that occur in the story. Display the guide words.

9. Have students practice with partners using only the story's illustrations (page 95) and the guide words (if needed).

10. Have volunteers tell the story to the class. Students may use illustrations and guide words, if necessary.

11. Assessment: Have students record the story on audiocassettes or any electronic media. Students may use only the illustrations. Guide words may be used by students who need more direction. Evaluate the recordings and include them in students' portfolios.

12. Collaborate with students in writing the story based on the illustrations. Write the story as students copy it.

13. Have partners invent a new story or alter the original story. Have them draw new or altered illustrations and then tell the story to the class.

Appendix

High-frequency TPR Vocabulary

French	English	Gesture
Allume...!	Turn on...!	Turn on an imaginary light switch.
Applaudis!	Clap!	Applaud.
Arrête!	Stop!	Put hand out in front of body with palm facing out.
Assieds-toi!	Sit down!	Sit down.
Attrape...!	Catch...!	Pretend to catch an invisible object.
Bois!	Drink!	Pretend to drink from a glass.
Chante!	Sing!	Sing "la, la, la...."
Cherche...!	Look for...!	Look through an imaginary magnifying glass.
Cours!	Run!	Run in place.
Crie!	Yell!	Yell.
Danse!	Dance!	Dance.
Demande...!	Ask...!	Trace a question mark in the air and shrug shoulders.
Donne-lui...!	Give him/her...!	With palm facing up, reach out and give a pretend object to somebody.
Écris!	Write!	Pretend to trace words in the air.
Embrasse...!	Kiss...!	Pucker lips and make kissing noises.
Éteins...!	Turn off...!	Turn off an imaginary light switch.
Éternue!	Sneeze!	Sneeze.
Ferme...!	Close...!	Pretend to close a door.
Frappe (à la porte)!	Knock (on the door)!	Pretend to knock on a door.
Jette...!	Throw...!	Pretend to throw an invisible object.
Lève-toi!	Get up!	Stand up.
Mange!	Eat!	Grab imaginary food, put it in mouth and chew.
Marche!	Walk!	Walk.
Montre... du doigt!	Point to...!	Point to different objects in the room.
Murmure!/Chuchote!	Whisper!	Whisper.
Ouvre...!	Open...!	Pretend to open a door.
Peins...!	Paint...!	Hold an imaginary paint brush and paint in the air.
Pleure!	Cry!	Rub eyes and cry.
Porte...!	Carry...!	Carry something.
Prends...!	Take...!	With right hand, grab an imaginary object from left hand.
Prends... dans tes bras!	Hug...!	Pretend to give someone a big hug.
Ramasse...!	Pick up...!	Drop an imaginary object and then pick it up.
Regarde...!	Look at...!/Watch...!	Point to eye and then move finger away as eyes follow it.
Ris!	Laugh!	Laugh.
Saute!	Jump!	Jump.
Siffle!	Whistle!	Whistle.
Sors...!	Take out...!	Pretend to take out an object from a box.
Touche...!	Touch...!	Touch an object.
Tourne-toi!	Turn around!	Turn around.
Tousse!	Cough!	Cough into your hand.
Va...!	Go...!	Walk to another part of the classroom.
Va chercher...!	Get...!	Grab an imaginary object.

Adverbs

French	English	Gesture
à voix basse	softly	Say something in a low voice.
à voix haute	loudly	Say something in a loud voice.
lentement	slowly	Sit down slowly.
vite	fast	Sit down quickly.

Adjectives

French	English	Gesture
grand	big	Point to something big.
petit	little	Point to something small.

Le corps

la bouche	mouth	*la gorge*	throat
le bras	arm	*les hanches*	hips
les cheveux	hair	*la jambe*	leg
le corps	body	*la main*	hand
le coude	elbow	*le nez*	nose
le doigt	finger	*le nombril*	belly button
le doigt de pied	toe	*l'œil*	eye
le dos	back	*l'oreille*	ear
l'épaule	shoulder	*le pied*	foot
l'estomac	stomach	*la tête*	head
la figure	face	*le ventre*	stomach
le front	forehead	*le visage*	face
le genou	knee	*les yeux*	eyes

Les couleurs

blanc	white	*orange*	orange
bleu	blue	*rose*	pink
brun	brown	*rouge*	red
gris	gray	*vert*	green
jaune	yellow	*violet*	purple
noir	black		

La salle de classe

l'agrafeuse	stapler	*le magazine*	magazine
le cahier	notebook	*le mur*	wall
la calculatrice	calculator	*l'ordinateur*	computer
la carte	map	*la page*	page
la chaise	chair	*la pendule*	clock
les ciseaux	scissors	*la perforeuse*	hole punch
la classe	class	*le plafond*	ceiling
la craie	piece of chalk	*la porte*	door
le crayon	pencil	*la poubelle*	wastebasket
l'effaceur	eraser (board)	*la punaise*	thumbtack
l'élastique	rubber band	*le professeur*	teacher
l'élève	student	*la règle*	ruler
la fenêtre	window	*le rétroprojecteur*	overhead projector
la feuille de papier	sheet of paper	*le ruban adhésif*	tape
le feutre	marker	*le sac à dos*	backpack
la fille	girl	*le sol*	floor
le garçon	boy	*le stylo*	pen
la gomme	eraser	*la table*	table
le journal	newspaper	*le tableau*	(chalk)board
le kleenex	Kleenex	*le taille-crayon*	pencil sharpener
le lecteur de DVD	DVD Player	*la télé*	television
le livre	book	*le trombone*	paper clip
la lumière	light		

Sample TPR Lesson

The Sample TPR Lesson gives a step-by-step model that shows how words in the High-frequency TPR Vocabulary (pages 97-99) can be taught to students. It consists of selected words and expressions from this vocabulary list, steps to follow in teaching them, a narrative in which these words are used in context and several extension activities. Teachers may want to use this lesson before they start teaching the Basic and Advanced Stories in this manual. Another option is to use this lesson as the first in a series of lessons to teach all or part of the High-frequency TPR Vocabulary.

Vocabulary

French	English
(elle) cherche	(she) looks for
un crayon	a pencil
une feuille de papier	a sheet of paper
le sac à dos	backpack
(elle) pleure	(she) cries
à voix haute	loudly
(il) se lève	(he) gets up
vite	fast
(il) marche	(he) walks
(il) donne	(he) gives
(elle) prend... dans ses bras	(she) hugs
(il) s'assied	(he) sits down
la chaise	chair

Step 1: Give three commands and gesture them. Students follow silently as they associate the gestures with the vocabulary.

Teacher says: *Cherche un crayon! Cherche une feuille de papier! Cherche un sac à dos!*

Step 2: Give the same three commands in a different order. Have students gesture them and then gesture them yourself.

Teacher says: *Cherche une feuille de papier! Cherche un crayon! Cherche un sac à dos!*

Step 3: Give the same three commands in a different order. Have students gesture them.

Teacher says: *Cherche un sac à dos! Cherche un crayon! Cherche une feuille de papier!*

Step 4: Give one command and gesture another. (This indicates whether or not students understand the words or need more practice.)

Teacher says: *Cherche un sac à dos!*
Teacher models: *Cherche un crayon!*

Step 5: Continue to teach the three commands by repeating Steps 1-4.

Step 6: Give three new commands consecutively. Have students gesture all three of them in the correct order. (Give three sets of these commands.)

Teacher says: *Marche vite! Assied-toi! Lève-toi!*
Prends-toi dans tes bras! Pleure à voix haute! Cherche un crayon!
Donne-moi un crayon! Donne-moi ton sac à dos! Donne-moi une feuille de papier!

Step 7: Have students close their eyes. Give commands in groups of three and have students gesture them. Check comprehension and reteach any gestures that students are not performing reliably. Check students' comprehension individually.

Step 8: Give commands and have students gesture them silently. Combine vocabulary in a unique and humorous way.

Teacher says: *Marche vite jusqu'à* (name of student)*!*
Prends ton sac à dos dans tes bras!
Assied-toi sur une feuille de papier!

Continue to give commands by combining the words and expressions on the vocabulary list. Check students' understanding.

Step 9: Tell the following story in an animated way. At the same time help students act it out. To give students a visual clue to help them remember the story, place people and objects consistently in specific places in the classroom.

Teacher says: *Nadine et Thomas sont dans la classe. Nadine **cherche un crayon** et **une feuille de papier**. Elle cherche et cherche dans son **sac à dos** mais il y a juste un coca. Elle **pleure à voix haute**. Thomas **se lève vite** et **marche jusqu'à** Nadine. Il **donne** un crayon à Nadine. Elle **prend** Thomas **dans ses bras**. Thomas **s'assied** sur sa **chaise**.*

Step 10: Do extension activities for variety. Play games such as "Bingo" and "Simon Says."

Step 11: Have students make their own dictionary by drawing each new vocabulary word on the list and identifying it in French under the picture.

Basic Story

(il) arrive
Tiens!
Salut!
Ça va?
Ça va bien.
merci
eh
(tu t') appelles
comment
ah
pardon
(te) présente
c'est
bonjour
Mademoiselle (Mlle)

Advanced Story

deux
oui
pas
(il/elle s') appelle
écoute
Madame (Mme)
Monsieur (M.)
d'accord
À bientôt.

Basic Story	Advanced Story
(je t') invite	de la musique
chez moi	super
On y va?	(il) téléphone à
alors	qui
qu'est-ce que	pas possible
(tu) aimes	ne (n')... pas
faire du sport	(j') étudie
faire du shopping	l'interro
moi	demain
aussi	bon ben
beaucoup	aux jeux vidéo
nager	À demain.
faire du vélo	
(je) préfère	

Basic Story

minuit

(J'ai) faim.

(je) voudrais

un hamburger

(J'ai) soif.

allons-y

le serveur

Vous désirez?

des frites

s'il vous plaît

une boisson

un coca

Ça fait....

combien

cinquante

Advanced Story

midi

un café

la serveuse

voyons

une omelette

Donnez-moi....

de l'eau minérale

mal

très

une salade

un steak-frites

une glace au chocolat

un jus de raisin

Basic Story

où est

la salle de classe

les maths

là

(tu) as

de

à

le lundi

le jeudi

le vendredi

le samedi

un ordinateur

(vous) avez besoin d'

un cahier

le mardi

le mercredi

Tant mieux.

Advanced Story

et demie

le sac à dos

l'école

juste

(elle) commence

l'emploi du temps

sur

le bureau

le livre d'anglais

la disquette

le cours d'informatique

le professeur (le prof)

le tableau

Montrez-moi....

Qu'est-ce que c'est?

Zut!

Basic Story

avril

l'anniversaire

mon frère

brun

bavard

un oiseau

Que je suis bête!

(Il) a quel âge?

ton

(Il) a... ans.

le chat

la mère

un membre de la
  famille

le poisson

le cadeau

Advanced Story

Nous sommes....

le premier août

la Guadeloupe

sept mille kilomètres

en vacances

son oncle

sa tante

tes cousines

la photo

septembre

un mois

paresseux

avec nous

blonde

ses parents

sympa

Basic Story	Advanced Story
canadien	une profession
voyager	l'Italie
au soleil	Il fait beau.
le Mexique	Il fait du soleil.
l'Espagne	la chance
Il fait chaud.	(vous) venez de
(je) parle	la Belgique
l'espagnol	un coiffeur
le français	un médecin
l'anglais	un homme au foyer
un comptable	un infirmier
le Japon	autre
(vous) travaillez	
un cuisinier	

Basic Story	Advanced Story
un centre commercial	un magasin
(on) trouve	cher
des choses	il y a
(elles) cherchent	un ensemble
(on) achète	beige
un vêtement	la jupe
le pantalon	longue
rouge	(on) porte
Beurk!	un tailleur
la couleur	la veste
le pull	blancs
bleu	le soir
adorer	des bottes
(elle) fait du	
moche	
les sweats	

Basic Story	Advanced Story
maintenant	le repas
(elle) veut	ce soir
une bouillabaisse	trop de
une soupe	des crevettes
faire les courses	des crabes
d'abord	des oignons
des légumes	des tomates
un supermarché	des carottes
moins	des pommes de terre
beaucoup de	mûres
puis	des boîtes
un marché	assez de
les marchands	(elle) attend
des kilos	plus

Basic Story

(la famille) habite

un appartement

le rez-de-chaussée

le petit déjeuner

prends

les fourchettes

les couteaux

les verres

les assiettes

le garage

la voiture

à gauche

un arbre

(ils) mettent

un frigo

la maison

le balcon

Advanced Story

du couscous

Bienvenue!

Entrez!

un étage

une cuisine

un four

une salle à manger

un séjour

un canapé

un fauteuil

une salle de bains

une chambre

gentil

Basic Story	Advanced Story
une tête	un cabinet
le nez	le docteur
la bouche	ne (n')... jamais
les dents	malade
les oreilles	en bonne forme
Au secours!	prendre rendez-vous
Qu'est-ce que tu as?	l'après-midi
(elle) a peur	la fièvre
des frissons	(j')ai mal...
Reste!	une main
	ne (n')... rien
	une épaule
	un genou
	il faut
	quelqu'un

Basic Story	Advanced Story
l'aéroport	la veille
le passeport	une poste
l'avion	une avenue
(il) part	des timbres
près de	un musée
voir	(il) a envie de
la Suisse	cinquième
suisse	une gare
deuxième	des horaires
la ville	un train
le Sénégal	rentrer
l'Afrique	une banque
la plage	de l'argent
formidable	nord-est
troisième	... me plaît
la bibliothèque	

Basic Story	Advanced Story
passer	(ils) sont montés
une lumière	la journée
(je) pense (à)	impressionnistes
la tour	(ils) marchent
le monument	la fois
un cimetière	d'après
le tombeau	Quittez...!
un plan	jeune
un métro	(ils) continuent
un tableau	un bal
des statues	le défilé
un bateau	
l'hôtel	

Assessment Rubric

To assess their students' participation in TPR Storytelling, teachers may choose first to evaluate how each individual student retells a situation or story. This type of assessment focuses on presentational skills. Teachers may also evaluate how their students perform as part of a group in revising and retelling a situation or story. This type of assessment focuses on interpersonal communication.

Whether teachers focus on the presentational or interpersonal mode, they should share the following criteria with their students before storytelling begins:

> Completion of Task
> Creativity
> Effort and Risk Taking
> Organization
> Pronunciation
> Variety of Expression
> Use of Gestures and/or Props
> Use of Illustrations/Visuals
> Cultural Appropriateness
> Originality
> Accuracy of Language
> Use of Vocabulary

In addition to the criteria listed above, teachers may want to include the criteria used in the *ACTFL Performance Guidelines for K-12 Learners*:

> Comprehensibility (How well are students understood?)
> Comprehension (How well do students understand?)
> Language Control (How accurate is students' language?)
> Vocabulary Use (How extensive and applicable is students' vocabulary?)
> Communication Strategies (How do students maintain communication?)
> Cultural Awareness (How is students' cultural understanding reflected in their communication?)

Creating the Assessment Rubric

To create a personalized assessment rubric, choose any five criteria from the two lists above and enter them on the sample blank rubric on the following page.

TPR Storytelling

Name: _____

Date: _____

Unit: _____

Evaluator: _____

Circle one: Presentational   Interpersonal

For each criterion, rate students from 5 to 0:

        5 = outstanding performance
        4 = good performance
        3 = fair performance
        2 = weak performance
        1 = less than acceptable
        0 = no evidence of participation

Criteria	5	4	3	2	1	0
	Total points: _____ x 4 = _____					

Bibliography

Asher, James J. *Learning Another Language Through Actions: The Complete Teacher's Guidebook*. 5th ed. Los Gatos, CA: Sky Oaks Productions, 1996.

García, Ramiro. *Instructor's Notebook: How to Apply TPR for Best Results*. 2nd ed. Los Gatos, CA: Sky Oaks Productions, 1988.

Krashen, Stephen D. *Writing: Research, Theory and Applications*. Torrance, CA: Laredo Publishing Company, 1984.

Krashen, Stephen D. *The Input Hypothesis: Issues and Implications*. Torrance, CA: Laredo Publishing Company, 1985.

Krashen, Stephen D. *The Power of Reading*. Englewood, CO: Libraries Unlimited, 1993.

Ray, Blaine and Contee Seely. *Fluency through TPR Storytelling*. Berkeley, CA: Command Performance Language Institute, 1998.

Seely, Contee and Elizabeth Romijn. *TPR is More Than Commands — At All Levels*. Berkeley, CA: Command Performance Language Institute, 1995.